WIR SIND EIN VOLK – 20 JAHRE MAUERFALL

WIR SIND EIN VOLK

20 JAHRE

MAUERFALL

garant

Berlin am Abend des 9. November: Um 18.55 Uhr tritt überraschend eine neue Reiseregelung in Kraft, dank der jeder Bürger

unbehelligt in den Westen reisen kann. Nur wenige Stunden später feiern Zehntausende die Öffnung der Mauer.

Dem deutschen Volke: Am 3. Oktober 1990 um 0 Uhr ist der politische Einigungsprozess abgeschlossen. In einem schwarz-rot-goldenen

Fahnenmeer und mit dem Anstimmen der Nationalhymne feiern die Deutschen die Wiedervereinigung vor dem Berliner Reichstagsgebäude.

Vorwort

Nach dem Ende des Zweiten Weltkrieges und der bedingungslosen Kapitulation 1945 wurde Deutschland in vier Besatzungszonen aufgeteilt, in denen die alliierten Sieger die Regierungsgewalt übernahmen. Während man in den westlichen Besatzungszonen Schritt für Schritt die politischen und organisatorischen Vorbereitungen zur Gründung der Bundesrepublik Deutschland traf, wurde in der sowjetischen Zone unter der Kontrolle Moskaus von den ostdeutschen SED-Funktionären Zug um Zug die Errichtung der Deutschen Demokratischen Republik eingeleitet.

Suchte Konrad Adenauer das feste Bündnis mit dem Westen, das zum Beitritt in die NATO und zur Gründung der EWG führte, so hatte die DDR unter Führung Walter Ulbrichts keine andere Chance, als sich den innen- und außenpolitischen Wünschen Moskaus zu fügen: der Mitgliedschaft im COMECON und dem Beitritt in den Warschauer Pakt.

Trotz dieser weltweiten Spaltung zwischen Ost und West, die mit dem Bau der Berliner Mauer 1961 ihren sichtbarsten Ausdruck gefunden hatte, sahen sich die beiden Führungsmächte Sowjetunion und USA seit den sechziger Jahren zunehmend zur Zusammenarbeit gezwungen. Im Rahmen dieser größeren Entspannungspolitik ist auch das Bemühen Willy Brandts zu sehen, nach der Aussöhnung mit dem Westen den Brückenschlag zum Osten zu suchen – eine Politik, die auch von seinen Nachfolgern fortgesetzt wurde. Dass diese 1989 überraschend zum Fall der Mauer und ein Jahr später zur staatlichen Einheit Deutschlands führte, ist neben der weltpolitischen Konstellation, insbesondere der Politik Gorbatschows, auch

Die Öffnung der Berliner Mauer im November 1989: Jubelnde Menschen aus Ost und West treffen sich vor dem Brandenburger Tor. 28 Jahre, 2 Monate und 27 Tage hatte die DDR ihre Bürger mit dem „Bollwerk gegen westliche Militaristen, Revanchisten und Monopolkapitalisten" gefangen gehalten. Auf 150 Kilometern hatte es 302 Wachttürme, 295 Hundelaufanlagen und 20 Erdbunker gegeben. Bei dem Versuch, über diese „moderne Friedensgrenze" zu fliehen, wurden 255 Menschen getötet, der letzte im Februar 1989.

dem Postulat der Freiheit als dem Kern der Deutschen Frage zu verdanken. Das beharrliche Festhalten an der Offenheit der Deutschen Frage, am Selbstbestimmungsrecht aller Deutschen und an der Einheit der Nation war auf westdeutscher Seite die entscheidende Voraussetzung dafür, dass der Zusammenbruch des DDR-Sozialismus, im Einvernehmen mit allen Nachbarn, unter der Kanzlerschaft Helmut Kohls in die friedliche Wiedervereinigung Deutschlands einmünden konnte.

Im Hinblick auf den neuen Partner in Moskau ist eine Behauptung widerlegt worden, die zuvor für manche im Westen Deutschlands fast als Glaubenssatz galt, die Behauptung nämlich, dass das Selbstbestimmungsrecht für alle Deutschen unvereinbar mit dem europäischen Frieden sei, ja, dass der Verzicht der Deutschen in der DDR auf Freiheit und Selbstbestimmung geradezu eine Bedingung für den Frieden Europas darstellte.

Die deutsche Geschichte nach Kriegsende hat bewiesen, dass totalitäre Ideologien die Freiheit zwar unterdrücken, den Willen zur Freiheit aber auf Dauer nicht auslöschen können. Deshalb sind die Opfer und Leiden, die zahllose Menschen in der DDR über die Jahre der Diktatur hinweg erbracht und erlitten haben, nicht vergeblich gewesen. In über 40 Jahren Gewaltherrschaft konnte der Wille zur Freiheit und Selbstbestimmung nicht gebrochen werden.

Mit ihrer Friedlichen Revolution von 1989/1990 haben sich die Menschen in den neuen Bundesländern von der sozialistischen Diktatur befreit und eines der besten Kapitel der deutschen Geschichte geschrieben – eines, auf das alle Deutschen stolz sein können.

Das zentrale Anliegen der deutschen Nachkriegspolitik – die Einheit in Freiheit – konnte erreicht werden: auf friedlichem Wege, ohne Blutvergießen und mit der Zustimmung aller Nachbarn. Doch neben Freude und Zuversicht bleibt auch die Mahnung: Freiheit und Einheit sind nichts Selbstverständliches, sondern Ziele, für die mutige Menschen schwere Opfer auf sich genommen haben. Sie dürfen in unserer Erinnerung nicht vergessen werden.

Der Zaunfall vor dem Mauerfall:

Die Demontage des Grenzzauns nahe dem österreichischen Nickelsdorf und dem ungarischen Hegyeshalom (links). Angehörige der ungarischen Grenztruppe beginnen am 2. Mai 1989 damit, die Sperranlagen an der Grenze zu entfernen. Bis 1990 sollen alle Sperren an der rund 350 Kilometer langen Grenze abgebaut sein, hieß es.

Historischer Moment:

Österreichs Außenminister Alois Mock (l.) und sein ungarischer Amtskollege Gyula Horn (r.) beim Durchtrennen des Eisernen Vorhanges am 27. Juni 1989 (Bild oben). Der erste Pfeiler des Grenzzauns war bereits am 2. Mai ausgehoben worden. Das ungarische Militär hatte damals sogar westliche Medien in die Grenzstadt Hegyeshalom eingeladen. Oberst Halasz Novaki gab damals eine überaus lapidare Begründung für die ungewöhnliche Maßnahme ab: „Wir haben drei Möglichkeiten: Die verrotteten Anlagen zu reparieren, das kostet viel Geld. Die Sperranlangen völlig zu erneuern, das ist noch teurer. Oder das politische System zu ändern und die Grenze abzureißen." Die reformorientierte ungarische Regierung musste sich schon seit längerem mit dem Problem auseinandersetzen, wie man mit illegalen Flüchtlingen aus der DDR umgehen sollte, die sich heimlich im Land aufhielten und auf den Grenzfall warteten – Ungarn

galt als durchlässigster Teil des „Eisernen Vorhangs". Trotz der Forderungen von DDR-Staats- und Parteichef Erich Honecker sowie dem rumänischen Staatschef und Diktator Nicolae Ceau escu gegenüber dem Warschauer Pakt, die Vorgänge in Ungarn militärisch zu unterbinden, entschied sich Ungarn zu einer ganz anderen Richtlinie – man sehe seine Aufgabe nicht darin, die Bürger fremder Staaten zu „schützen" – und schaffte den Schießbefehl an der Grenze ab. Dieser sollte nur noch im Falle von Notwehr gelten. Dies galt auch für die Grenzen zu den Paktstaaten und zu Jugoslawien. Schon damals zeigte sich: Ohne die Glasnost- und Perestrojka-Politik der UdSSR, namentlich des KPdSU-Generalsekretärs Michail Gorbatschow, wäre diese Entscheidung innerhalb des Staatenbündnisses kaum durchzusetzen gewesen – Budapest hatte Rückendeckung aus Moskau bekommen. Als die ersten Pflöcke niedergerissen wurden, waren Tausende Österreicher die ersten Nutznießer: Sie kauften in Ungarn noch am selben Tag billig Salami und andere Lebensmittel ein. Als dann, Ende Juni, die Außenminister Mock und Horn sich zu dem historischen Fototermin trafen, war die meiste Arbeit von der ungarischen Grenztruppe bereits erledigt worden: Von ehedem 350 Kilometern des österreichisch-ungarischen Grenzzauns waren damals nur noch 40 Kilometer übrig.

Den Urlaub zur Flucht genutzt:
Ausreisewillige DDR-Bürger (links) kampieren am 15. August 1989 mit ihrem Auto vor der bundesdeutschen Botschaft in Budapest. Wie viele Tausende Andere warten sie auf eine Ausreisemöglichkeit in die Bundesrepublik. Sie mussten sich mehrere Wochen gedulden – erst am 11. September war es so weit: Dann aber fuhren in den ersten 24 Stunden nach der Öffnung mehr als 10.000 Übersiedler über die ungarische Grenze nach Österreich.

Rübergemacht:
Eine Familie aus der DDR (Bild oben) hat mit ihrem Trabi am 11. September 1989 die ungarisch-österreichische Grenze überquert. Die meisten der gut 10.000 DDR-Flüchtlinge fuhren auch noch am selben Tag von Österreich in die Bundesrepublik Deutschland.

Stress:
Eine Mutter mit ihrem weinenden Kind (Bild rechts) nach der Massenflucht über Ungarn nach Österreich.

Der letzte Zaun:

DDR-Bürger klettern am 29. September 1989 mit ihren Kindern über den Zaun der bundesdeutschen Botschaft in Prag. Auf dem Botschaftsgelände halten sich bereits rund 2.500 Menschen auf, die in die Bundesrepublik ausreisen möchten – am Schluss werden es insgesamt 6.000 sein. Viele haben ihren Sommerurlaub genutzt, um nicht mehr in die DDR zurückzukehren. Doch die Zustände auf dem Gelände sind aufgrund der Menschenmassen bald nicht mehr tragbar – Essen gab es nur noch aus der Feldküche, und insgesamt standen gerade einmal 22 Toiletten zur Verfügung. Was die Flüchtlinge allerdings zu diesem Zeitpunkt nicht wissen konnten: Im Hintergrund wurden bereits intensive Gespräche geführt – und die Ausreise war schon beschlossene Sache. Denn ebenfalls am 29. September traf sich der Außenminister der Bundesrepublik, Hans-Dietrich Genscher, im Rahmen der UN-Vollversammlung in New York mit den Außenministern von Frankreich, England und Tschechien – aber auch mit seinen Kollegen aus der DDR (Oskar Fischer) und der UdSSR (Eduard Schewardnadse). Schewardnadse sagt den Deutschen Hilfe zu. Genscher ist zu dieser Zeit schwer krank und unter ständiger Beobachtung von Kardiologen: Er hatte erst zwei Monate zuvor einen Herzinfarkt erlitten. DDR-Außenminister Fischer informiert Erich Honecker in einem Eilbrief über die Verhandlungen in New York und die Vorgänge in Prag. Noch am selben Tag bekommt die Bundesregierung die Zusage aus Ost-Berlin, dass die Flüchtlinge ausreisen dürfen. Allerdings soll diese Ausreise in Zügen geschehen, deren Route durch die DDR führt. Im BILD-Band „50 Jahre Deutschland" erzählt Hans-Dietrich Genscher: „Wie würde ich ihnen verständlich machen können, dass die Züge durch die DDR fahren? Wie konnte ich ihnen die Sorge nehmen, dass es sich um eine Falle handelt? (…) Ich war aufgewühlt wie selten in meinem Leben." Die Anspannung ist groß, als der Außenminister von New York zunächst nach Bonn reist, wo er am Morgen des 30. September ankommt. Am späten Nachmittag fliegt er weiter nach Prag, um eine historische Mitteilung zu machen.

Warten auf Genscher:
Prag am 29. September: Die Beamten der bundesdeutschen Botschaft in Prag haben für die DDR-Bürger ein Zeltlager errichtet (Bild links), das schon bald nicht mehr alle Flüchtlinge fassen kann.

Verkündet:
Ein glücklicher Bundesaußenminister Hans-Dietrich Genscher (Bild oben, rechts) mit Kanzleramtsminister Rudolf Seiters. Gerade hat Genscher in der Botschaft den DDR-Bürgern mitgeteilt, dass

ihre Ausreise in den Westen bewilligt ist. Danach kommt er mit Journalisten zu einem Gespräch zusammen.

Grenzenlos:
Genscher, auf dem Balkon der Botschaft stehend, hatte den wichtigsten Satz seiner Mitteilung noch gar nicht zu Ende gesprochen, da brach bereits ein Jubelsturm los. Im Bild unten ist ein glückliches junges Paar zu sehen, das noch in der Nacht zum 1. Oktober die bundesdeutsche Botschaft verließ.

Sonderzug nach Hof:

Von jubelnden Menschenmassen werden die knapp 800 DDR-Übersiedler auf dem Bahnhof des bayerischen Hof empfangen. Mit Sonderzügen der Deutschen Reichsbahn trafen sie am 5. Oktober 1989 ein, aus Prag kommend, wo sie teilweise wochenlang auf dem Gelände der Deutschen Botschaft auf eine Einreisemöglichkeit in die Bundesrepublik gewartet hatten.

Freudentränen:

Geschafft: Die ersten Übersiedler betreten westdeutschen Boden (oben rechts) und können es kaum fassen. Insgesamt sechs Züge hatte die Reichsbahn zur Verfügung gestellt. Am Abend des 30. September hatte der erste Sonderzug um 20.50 Uhr Prag verlassen. Die DDR-Bürger erreichten Hof am nächsten Morgen gegen sechs Uhr morgens. Mehrere dieser Züge mussten auf der Fahrt durch die DDR für längere Zeit in Dresden halten,

weil für die Weiterfahrt in die Bundesrepublik andere Loks benötigt wurden. Im Tumult gelang mindestens drei weiteren DDR-Bürgern dabei der Sprung auf den Zug in den Westen. DDR-Offizielle bezeichneten die Sonderzüge als „einmaligen humanitären Akt" – doch sie konnten nicht falscher liegen. Schon zwei Tage später musste die Deutsche Botschaft in Prag erneut wegen Überfüllung schließen, obwohl die DDR am 3. Oktober ihren visumfreien Reiseverkehr in die CSSR

ausgesetzt hatte. Am 5. Oktober fuhren erneut Züge von Prag nach Hof.

Schnelle Hilfe:
Ein Bundeswehrsoldat (rechts unten) gibt, zur eigenen und zur Freude seiner Kameraden, einem Säugling die Flasche – das Bild stammt vom 5. Oktober 1989. Nachdem die sechs Sonderzüge in Hof angekommen waren, reisten viele DDR-Bürger noch am selben Tag weiter in eigens vorbereitete Aufnahmelager.

Wer zu spät kommt …

Am 7. Oktober 1989 steht die 40-Jahr-Feier der DDR an, und das in einer Atmosphäre von Reformbedürfnis und immer lauter werdenden Protesten gegen die Staatsführung. Dieses Jubiläum kommt tatsächlich zu spät, denn es geht einher mit Massendemonstrationen, die teilweise auch von der Flüchtlingswelle ausgelöst worden waren. Erich Honecker aber hatte sich auf diese Feierlichkeiten gefreut, die eine riesige Parade der Nationalen Volksarmee (NVA) und einen Fackelzug der Freien Deutschen Jugend (FDJ) im Programm haben sollten. Für den Mann, der in der DDR seit 1971 an der Macht ist, sollten es die schönsten Feiern überhaupt werden. So kommt auch KPdSU-Generalsekretär Michail Gorbatschow nach Ostberlin – es gibt auch Vier-Augen-Gespräche zwischen den Staatsmännern. Wie Gorbatschow Jahre später erzählt, habe Honecker tatsächlich ein komplett unrealistisches Bild der Situation in seinem Land gehabt. Er habe auf die Weltspitzenposition der DDR hingewiesen, obwohl es hinlänglich bekannt gewesen sei, dass das Land kurz vor dem Bankrott stand. In einem Interview an der „Neuen Wache", das nur zufällig zustande kam, lässt Gorbatschow einen Satz fallen, der später historisch werden sollte: „Gefahren warten nur auf jene, die nicht auf das Leben reagieren!" Beim Empfang im SED-Politbüro variiert er diesen Satz: „Wenn wir zurückbleiben, bestraft uns das Leben sofort." Letztlich ist es aber sein Pressesprecher Gennadi Gerassimow, der daraus den bekannten Ausspruch macht: „Wer zu spät kommt, den bestraft das Leben!" Im Bild zu sehen ist Michail Gorbatschow, der dem DDR-Verteidigungsminister Heinz Kessler (r.) die Hand schüttelt. Dazwischen beobachtet Erich Honecker die Parade anlässlich der 40-Jahr-Feier. Hinter Kessler blickt Gorbatschows Frau Raissa auf die Szenerie. Ebenfalls zu sehen sind Polens Staatspräsident Jaruzelski und der tschechoslowakische KP-Chef Milos Jakes. Was von diesem Tag als Erinnerung bleibt, ist die Erkenntnis: Honecker hat die Zeichen der Zeit nicht erkannt. Auf Gorbatschows Warnung antwortet er mit einem kategorischen: „Vorwärts immer, rückwärts nimmer!"

Für ein „neues Deutschland":

Anlässlich der 40-Jahr-Feier wurden in jedem Ostberliner Stadtteil Volksfeste aus-
gerichtet, doch sie waren diesmal nicht
gut besucht. Nur wenige hundert Meter entfernt von der Karl-Marx-Allee, wo
Erich Honecker am 7. Oktober die Parade der NVA abnahm, kommt es hingegen
noch am selben Tag zu massiven Protesten. Zunächst finden sich gegen 17 Uhr
einige hundert Jugendliche am Alexanderplatz zusammen, um auf die Wahlen
„zu pfeifen" – denn der Monatssiebte ist
mehr oder weniger zufällig auch noch ein
Datum für den neu formierten Protest geworden, seitdem die Kommunalwahlen
am 7. Mai desselben Jahres offensichtlich
manipuliert worden waren. Die Demonstranten, die zahlreiche Trillerpfeifen mit-
gebracht haben, lassen sich auch diesmal
nicht vom Protest abbringen; dabei wird
der Alexanderplatz schon den ganzen
Tag kaum übersehbar von Angestellten
der Staatssicherheit überwacht. Vor allem in der Nähe der Weltzeituhr kommt
es immer wieder zu vereinzelten Festnah-
men, die auch von einem Fernseh-Team
der ARD gefilmt werden. Ein Großeinsatz
der Volkspolizei bleibt aber vorerst aus.
Stattdessen schließen sich Tausende Menschen den Protesten an. Vor der Redaktion der staatlichern Nachrichtenagentur
ADN skandieren Demonstranten „Lügner, Lügner" und „Pressefreiheit, Meinungsfreiheit". Das Ziel der nunmehr gut
3.000 Menschen ist der Palast der Republik, wo Erich Honecker, unter anderem mit
Michail Gorbatschow, den Geburtstag der
DDR begeht. Doch die Polizei sperrt den
Weg und riegelt auch mehrere Seitenstra-
ßen ab. Nun werden eigens für diesen Anlass gebaute Räumfahrzeuge eingesetzt,
vermehrt Einzelpersonen abgeführt und
in Polizei-LKW gebracht. Schlagstöcke
werden eingesetzt, Menschen verhaftet und, wie sich erst später herausstellen
sollte, auch misshandelt. Bald darauf sind
die Demonstrationen für diesen Tag beendet – aber eben nur in Berlin. Denn in
der Zwischenzeit haben sich auch in anderen großen Städten wie Leipzig, Dresden,
Magdeburg und Karl-Marx-Stadt Protes-
te geformt. Gegen Mitternacht ergeht an
allen Orten gleichzeitig der Befehl an die
Polizei, diese gewaltsam aufzulösen.

Wende vor der Wende:

Die Leipziger Nikolaikirche – ein Symbol der friedlichen Protestbewegung. Auch am 9. Oktober trafen sich dort Bürgerrechtler für das Friedensgebet, mittlerweile zum sechsten Mal. Diese Andachten gingen nahtlos in die sogenannten Montagsdemonstrationen über, die sich nach dem Friedensgebet um 17 Uhr bildeten, und deren ursprüngliche Forderung eine Ausweitung der Reisefreiheit gewesen war. Aufgrund der Ereignisse vom Wochenende und der Tatsache, dass die Montagsdemonstration eine Woche zuvor Polizeigewalt nach sich gezogen hatte, war der 9. Oktober ein entscheidender Tag. Die DDR-Sicherheitsbehörden hatten sich ebenfalls gut vorbereitet und eine Auflösung der Demonstration sogar schon geprobt. Was dann aber geschah, hatte niemand erwartet: 70.000 Menschen kamen – und das, obwohl viele von ihnen noch die blutige Niederschlagung der Studentenunruhen in China am Platz des Himmlischen Friedens in Erinnerung hatten. Warum die Polizei nicht eingriff, ist nicht endgültig geklärt, vermutlich aber wollte niemand in der Einsatzleitung die Verantwortung für ein größeres Blutvergießen übernehmen. Auch in Halle und in Magdeburg gingen mehrere Tausend Menschen auf die Straße. Die Ereignisse des 9. und dann des 16. Oktober, als weit über 100.000 Menschen demonstrierten, führten letztlich zur Absetzung von Erich Honecker als Generalsekretär; sein Nachfolger wird Egon Krenz. Der Leipziger Nikolaikirche, als des Ausgangspunkts der friedlichen Demonstrationen, wird später mit einer Sonderbriefmarke gedacht.

Bild oben:
Demonstranten mit einem Gorbatschow-Plakat in Leipzig. Am 23. Oktober steigerte sich ihre Zahl noch einmal. Allein in Leipzig waren es dann etwa 300.000 Menschen. Sie fordern politische Reformen, Untersuchung von „Stasi-Übergriffen" und freie Wahlen.

Bild links:
Hans Modrow (l), Mitglied des ZKs der SED und Erster Sekretär der Bezirksleitung der SED in Dresden, sowie der Dresdner Oberbürgermeister Wolfgang Berghofer stellen sich am 23. Oktober den Demonstranten auf dem Theaterplatz in Dresden.

Bild rechts:
Blick auf einen Teil der rund 300.000 Menschen in Leipzig, die am 23. Oktober 1989 in Leipzig demonstrieren. Auch in Magdeburg, Schwerin, Dresden und Berlin geht ihre Zahl in die Zehntausende – die Absetzung von Honecker reicht den Menschen offensichtlich nicht.

Bild oben:
Der Schriftsteller Christoph Hein („Willenbrock") hält am 4. November 1989 während der Großdemonstration auf dem Alexanderplatz in Berlin eine Rede. Der spätere gesamtdeutsche PEN-Präsident ist einer von insgesamt 26 Rednern an diesem historischen Tag.

Bild rechts oben:
Der Schauspieler und Regisseur Ekkehard Schall, langjähriges Mitglied des Berliner Ensembles, während seiner Rede auf der Großkundgebung. Weitere Redner sind u.a. Gregor Gysi, Günter Schabowski, Stasi-Oberst Markus Wolf, Stefan Heym, Christa Wolf, Ulrich Mühe und Jan Josef Liefers.

Kein Halten mehr:
Die Großdemonstration am 4. November mit mehr als 500.000 Teilnehmern gilt als die größte, nicht-staatlich organisierte Demonstration in der Geschichte der DDR. Die Forderungen nach Reformen im Bereich Meinungs-, Presse- und Wahlfreiheit sind weitreichend, obwohl einige davon bereits umgesetzt worden waren – oder zumindest angekündigt gewesen waren. Am 27. Oktober zum Beispiel beschloss der DDR-Staatsrat, eine Amnestie für Flüchtlinge und Demonstrationsteil-

nehmer zu erlassen. Ebenso wird die am 3. Oktober verhängte „zeitweilige Aussetzung des pass- und visumfreien Reiseverkehrs" in die CSSR ab dem 1. November 1989 zurückgenommen. Auch die Medien wagen ein wenig Pressefreiheit: Die „Berliner Zeitung" berichtet kritisch über den Bau „eines räumlich und finanziell überdimensionierten Eigenheims" für den IG-Metall-Vorsitzenden Gerhard Nennstiel. Die Großdemonstration ist diesmal angemeldet, und am Vorabend versucht Generalsekretär Krenz, der Veranstaltung den Wind aus den Segeln zu nehmen: Er verspricht einen zeitnahen neuen Reisegesetz-Entwurf, kündigt den Rücktritt von fünf Politbüro-Mitgliedern an, darunter auch Erich Mielke, und appelliert an die Bewohner, im Land zu bleiben. „Lassen Sie uns in diesem Sinne entschlossen und vor allem besonnen ans Werk gehen und in harter Arbeit die vielen Probleme lösen, die vor uns stehen", sagt er zudem in einem Beitrag in „Neues Deutschland" am 3. November. Doch das Volk hat nicht genug: Schon am frühen Morgen des 4. November, eines Samstags, ist der Alexanderplatz voll, der Verkehr steht still. Mit „Wir sind das Volk" werden Parteifunktionäre und Staatssicherheit in die Knie gezwungen – der Ministerrat tritt zurück.

Bild links:

Ein kleiner Junge auf dem Rücken seines Vaters hält bei der Protestdemonstration am 4. November ein Plakat mit dem Symbol der SED (den sich vereinigenden Arbeiterhänden von KPD und SPD) und dem Wort „Tschüss" in die Höhe. Auf Plakate haben die Demonstranten ihre aktuellen, zahlreichen Forderungen aus der Wendezeit der DDR geschrieben.

Bild rechts:

Die Berliner Schauspielerin Käthe Reichel trägt mit an einem Plakat mit politischen Forderungen. Wie viele Menschen an diesem Tag tatsächlich auf der Straße sind, weiß niemand, ganz sicher sind es aber mehr als eine halbe Million. Die Route der Demonstration führt durch die Innenstadt Ostberlins, vorbei an der Volkskammer und dem Staatsratsgebäude, hin zu einer Abschlusskundgebung auf dem Alexanderplatz. Käthe Reichel gehört zu den Berliner Künstlern, die diese Demonstration für mehr Pressefreiheit angemeldet haben, und hält eine beeindruckende Rede. Was zwar Reichel, aber viele andere Demonstranten zu diesem Zeitpunkt nicht wissen: Die Organisatoren haben mit der Nationalen Volksarmee eine „Sicherheitspartnerschaft" vereinbart. Offiziell taucht sie nicht auf, doch viele Tausende Soldaten sind in unmittelbarer Nähe. Sie sollen nämlich einen eventuellen Durchbruch der Demonstranten nach Westberlin über das Brandenburger Tor auf jeden Fall verhindern. Politbüro-Mitglieder und Mitarbeiter des Zentralkomitees beobachten von ihren Bürofenstern aus das Treiben und kommen sich vor wie in einem Versteck. Doch die SED war auch an diesem Tag nicht untätig: In der Menschenmenge befanden sich viele sogenannte „gesellschaftliche Kräfte" der Staatssicherheit, um den Demonstranten subtil ins Gewissen zu reden. Der SED-Spitze gelingt es zudem, Politbüro-Mitglied Günter Schabowski auf die Rednerliste setzen zu lassen. Allerdings wird Schabowski gnadenlos ausgepfiffen – obwohl er einer der wenigen war, die sich dem Dialog mit dem Volk gestellt hatten.

Hoffnung:

Die Großdemonstration am 4. November verlief friedlich. Mit verschiedensten Losungen und Forderungen unterschiedlichster gesellschaftlicher Gruppen wurde so eine wichtige Etappe in der Wende der DDR eingeleitet – fünf Tage später wurde die Grenze zum Westen geöffnet.

Aufbruch 1989:

Die Künstlerin und Mit-Initiatorin der DDR-Oppositionsbewegung „Neues Forum", Bärbel Bohley (oben), während der Großdemonstration am 4. November. Das „Neue Forum" war die erste große Oppositionsbewegung außerhalb der evangelischen Kirche. Eine der Forderungen bei der Demonstration war die offizielle Anerkennung von oppositionellen Kräften wie eben dem „Forum", das sich für eine gewaltfreie Politik und einen „demokratischen Dialog" einsetzte. Es ging dabei von einer deutschen Zweistaatlichkeit aus und strebte Reformen innerhalb eines sozialistischen Staates an. Die Bewegung erhielt enormen Rücklauf in der Bevölkerung. Bohley war 1988 in die Bundesrepublik abgeschoben worden, weil sie sich für Meinungs- und Versammlungsfreiheit eingesetzt hatte. Erst im August 1989 kehrte sie zurück; am 10. September wurde das „Neue Forum" gegründet. Im Jahr 1990 ging es vor den ersten Wahlen in der Bewegung „Bündnis 90" auf.

Bild links:

Die Demonstrationen gehen auch nach den ersten Rücktritten weiter: Mehrere tausend Menschen protestieren im Stehen am 8. November vor dem ZK-Gebäude in Ostberlin. Sie drücken damit ihre Zustimmung zu der Entscheidung des Politbüros aus, das geschlossen seinen Rücktritt erklärt hatte. Allen ist klar: Der Untergang des SED-Regimes vollzieht sich in atemberaubendem Tempo.

„Ab sofort, unverzüglich"

Günter Schabowski (Bild oben), Mitglied des Politbüros des ZKs der SED und Erster Sekretär der SED-Bezirksleitung Berlin, macht ein nachdenkliches, sorgenvolles Gesicht – als ob er wüsste, was an diesem Tag noch alles passieren würde. Auf der Pressekonferenz am frühen Abend des 9. November leitet er höchstpersönlich den Anfang vom Ende der DDR ein. Schon am Morgen hatten Offiziere des Ministeriums des Innern einen neuen Vorschlag für die Ausreiseregelung aufgesetzt, der vorsah, dass Privatpersonen auch „Besuchsreisen" unternehmen können. Am Mittag wird dieser Vorschlag vom Politbüro übernommen und an den Ministerrat weitergeleitet, später im SED-Zentralkomitee von Egon Krenz präsentiert. Als

sich Günter Schabowksi, für die Medien zuständig, zur internationalen Pressekonferenz begibt, bekommt er nur eine kurze Note in die Hand gedrückt, auf der steht, dass Ausreisen bewilligt werden. Was ihm nicht bekannt ist: Diese Ausreisen müssen auch weiter beantragt werden. So also gibt Schabowski der Presse um 18.53 Uhr bekannt, dass es eine neue Ausreiseregelung gebe. Auf die Frage eines Journalisten, ab wann diese gelte, sagt Schabowski: „Das ist ab sofort. Unverzüglich." Die Nachricht verbreitet sich in Ost und West wie ein Lauffeuer. Bundeskanzler Helmut Kohl hält sich gerade zu einem Besuch in Polen auf, als er von den Neuigkeiten aus Berlin erfährt. Gegen 20.15 Uhr befinden sich knapp 80 DDR-Bürger am Berliner Grenzübergang Bornholmer Straße – ihnen wird gesagt, sie sollten am nächsten Tag wiederkommen. Doch nur eine gute Stunde später stehen bereits Tausende vor dem Schlagbaum. Der verzweifelte Versuch einer „Ventillösung" der Staatssicherheit ist erfolglos, die Grenzbeamten empfinden die Drängelei mittlerweile als bedrohlich – und öffnen um 23.30 Uhr den Schlagbaum. Nur zwei Stunden später feiern Ost- und Westberliner gemeinsam unter dem Brandenburger Tor die Öffnung der Mauer, und die ganze Welt sieht zu.

Mauerspechte:
Westberliner versuchen am Morgen des 10. November mit Hämmern, Kreuzhacken und bloßen Händen die Berliner Mauer einzureißen. Der Handel mit den Mauerresten floriert in den kommenden Monaten. Tausende Menschen befinden sich in der Nacht auf der Mauer und versuchen, für die unverhofften Feierlichkeiten einen Logenplatz zu bekommen, auch zahlreiche Fernsehteams und Fotografen tun dies und schicken Bilder um die ganze Welt.

Bild oben:
Selbst Wasserwerfer haben die jubelnden Menschen an der Mauer in Berlin am 10. November 1989 wenig beeindrucken können – in der Nähe des Pariser Platzes wird die Mauer aber dann doch in den frühen Morgenstunden geräumt. Doch bis dahin wird ausgelassen gefeiert. Aus beiden Teilen des Landes reisen spontan Menschen in dieser Nacht nach Berlin. Auch am Kurfürstendamm ist schon bald kein Durchkommen mehr. Aus der DDR reisen die Bürger später über alle Berliner Grenzübergänge ein. Nach der Öffnung an der Bornholmer Straße folgen als Übergänge der berühmte Checkpoint Charlie, Sonnenallee und andere. Es ist allerdings kein Zufall, dass die Maueröffnung zuerst an der Bornholmer Straße stattgefunden hat: In der Nähe dieses Übergangs wohnten damals viele Ausreisewillige wie Künstler und gewöhnliche Arbeiter.

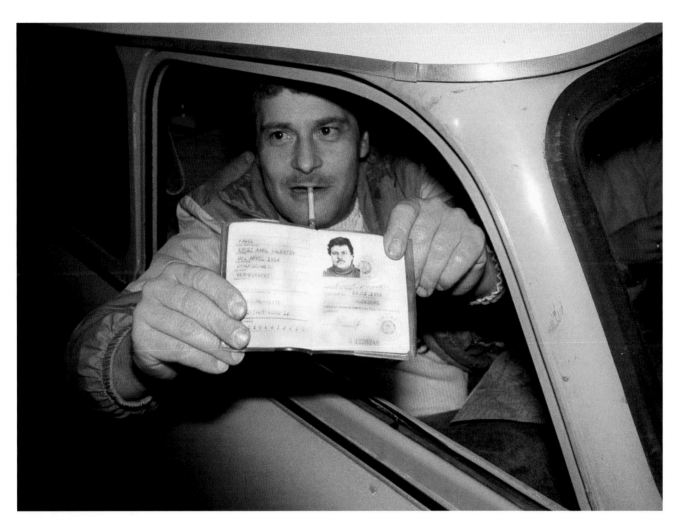

Rüber gemacht:
Ein DDR-Bürger zeigt am 10. November 1989 am Grenzübergang Helmstedt in Niedersachsen seinen Ausweis (Bild oben). Nach der Öffnung eines Teiles der deutsch-deutschen Grenzübergänge reisten spontan Millionen DDR-Bürger zu kurzen Besuchen nach West-Berlin und in die Bundesrepublik.

Reisewelle:
Eine riesige „Trabi-Kolonne" (Bild links) bewegt sich am 11. November am Grenzübergang Rudolphstein in Richtung Bundesrepublik. Weil zu diesem Zeitpunkt niemand mit Sicherheit sagen kann, ob die neue Reiseregelung nicht vielleicht wieder rückgängig gemacht wird, sind Millionen DDR-Bürger gleichzeitig unterwegs. Im Westen ist der „Trabi" bis dahin fast unbekannt – ironischerweise hat genau drei Wochen vor der Maueröffnung der erste Muse-

ums-„Trabi" im Deutschen Museum in München seinen Platz gefunden. Für die DDR-Bürger ist er ein Volks-Wagen und sehr begehrt gewesen, denn eine Bestellung ist mit jahrelangem Warten auf die Lieferung verbunden gewesen. Nun aber wird er schnell zu einem Symbol für die Maueröffnung. Der in Zwickau produzierte „Trabant" ist nach dem Trabanten „Sputnik" benannt, dem ersten Satelliten im Weltall. Ein Jahr nach dessen Aussetzung geht 1958 der „Trabant" in Serie; mehr als drei Millionen werden bis 1990 hergestellt. Weil es eine chronische Unterversorgung und auch kaum Konkurrenz zu ihm gegeben hat, ist der „Trabi" trotz seiner zunächst nur 18 PS und der Kunststoffkarosserie sehr begehrt gewesen. Eine Bestellung für das Auto hat sogar vererbt werden können. Aufgrund der großen Nachfrage sind gebrauchte „Trabis" teilweise zu höheren Preisen verkauft worden als ein Neuwa-

gen, der 12.300 Ostmark gekostet hat. Während in der DDR also lange Zeit eine Hassliebe zum „Trabi" gepflegt worden ist, wird er im Westen schnell zu einem Symbol für das gesamte politische System der DDR: staatlich kontrolliert hergestellt, leistungsarm und nicht gerade schön anzusehen. Nur so ist es auch zu erklären, dass drei Jahre nach dem Mauerfall der Film „Go, Trabi go" über eine Million Besucher in die Kinos lockt und jahrelang „Trabi"-Witze kursieren. Am 10. November 1989 allerdings, als Zigtausende „Trabis" sich das erste Mal im Westen vorstellen, denkt daran niemand, und es ist vielleicht das einzige Mal in der Geschichte, dass sich die Deutschen über Staus auf den Autobahnen gefreut haben. Einige Exemplare von ihnen haben später oft Alarm ausgelöst – die Abgase des „Trabi" sind für viele Rauchmelder in westdeutschen Parkhäusern einfach zu stark.

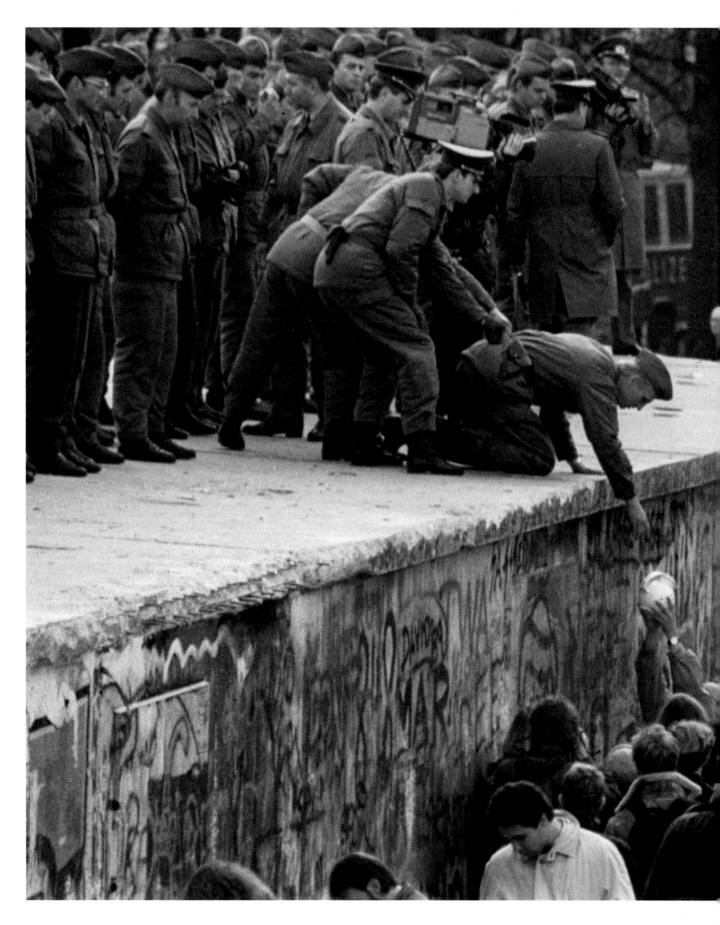

Annäherungen:
Westberliner Bürger reichen am 11. November den DDR-Grenzbeamten auf der Mauer eine Kanne Kaffee (Bild links). Immer wieder kommt es in diesen Tagen zu freundschaftlichen Szenen zwischen Menschen, die sich wenige Tage zuvor noch als Feinde gegenüber gestanden sind.

Bild oben:
Gemeinsam machen Grenzsoldaten aus Ostberlin (l.) und Polizeibeamte aus Westberlin (r.) am 14. November 1989 eine Kaffeepause am neuen Grenzübergang Stubenrauchstraße in Berlin. Bis zum Juni 1990 sind in der Stadt Dutzende neuer, vorübergehender Grenzübergänge geschaffen worden, um die Ein- und Ausreise zu erleichtern. Der berühmteste ist der am Brandenburger Tor, der kurz vor Weihnachten 1989 von Bundeskanzler Helmut Kohl eröffnet worden war. Der Übergang an der Stubenrauchstraße öffnete am 14. November um acht Uhr morgens.

Bild unten:
Eine DDR-Bürgerin schenkt einem DDR-Grenzsoldaten am 11. November 1989 eine rote Rose – die Wende ist und bleibt eine friedliche Veranstaltung.

41

Staatsgesang:

Führende Politiker aller Parteien (o.), darunter Bundesaußenminister Hans-Dietrich Genscher (FDP, ganz links), Altbundeskanzler Willy Brandt (SPD, vorne), Berlins Regierender Bürgermeister Walter Momper (SPD, 2.v.r.), Jürgen Wohlrabe, Präsident des Berliner Abgeordnetenhauses (r.), und Kanzleramtsminister Rudolf Seiters (CDU), singen bei der zentralen Kundgebung nach der Öffnung der Mauer am 10. November 1989 vor dem Schöneberger Rathaus in Westberlin die Nationalhymne. Dabei kommt es auch zu lauten Pfiffen, nachdem Kohl zu Ruhe und Besonnenheit aufgefordert hat – dies hat er auf Wunsch Michail Gorbatschows getan, der sich in der Umbruchphase Sorgen um die politische und militärische Stabilität gemacht hat.

Berlin ist eine Reise wert:

Nach der Öffnung der deutsch-deutschen Grenze nutzten viele DDR-Bürger am 11. November das Wochenende zu einem Kurzbesuch in Westdeutschland – und natürlich war Berlin (Bild rechts) dabei im Mittelpunkt des Interesses. Vor allem auf dem Kurfürstendamm kamen große Menschenmassen zusammen. Auf dem Bild ist auch am besten erkennbar, was Altbundeskanzler Willy Brandt am

Abend des 10. November gesagt haben soll: „Jetzt wächst zusammen, was zusammengehört." Die DDR-Volkssängerin Helga Hahnemann, die am Abend des 9. November einen Auftritt in Westberlin hat, schildert die Bedeutung der Maueröffnung für die Stadt: „(…) Die Leute lagen sich in den Armen, heulten, lachten, heulten, lachten. Man hat Schleusen aufgemacht (…) Als mich ein Taxifahrer anhupte und zu mir rüberwinkte, musste ich dann selbst schluchzen (…) Deshalb singe ich immer wieder: Hundertmal hab' ich Berlin verflucht …" Dieses Lied habe sie auch am Abend des 9. November gesungen, erzählt Hahnemann in der „Berliner Illustrierten" weiter – ohne zu wissen, dass die Mauer bereits offen ist. Erst mit der Reaktion des Publikums habe sie es verstanden: „Es war unfaßbar!" Es ist zudem der Monat, in dem der Entertainer Harald Juhnke sein 50. Bühnenjubiläum feiert – es ist der Monat, in dem Berlin wieder zu einer echten Weltstadt wird. In den Tagen nach dem 9. November kommen etwa zwei Millionen DDR-Bürger in den Westteil der Stadt, und sie werden freundlich empfangen. Vieles ist improvisiert: Das Deutsche Rote Kreuz stellt Essen zur Verfügung, Kneipen schenken Freibier aus, und die meisten Geschäfte akzeptieren die Ostmark zum Kurs von 1:10.

Berühmtester Checkpoint der Welt:
Eine „Trabi"-Kolonne schiebt sich am 10. November 1989 in Richtung West-Berlin vorbei am Checkpoint Charlie, einem Symbol für die Teilung Berlins und für den Kalten Krieg. Seinen Namen erhielt der Grenzübergang, der gleich nach dem Mauerbau im August 1961 gebaut wurde, durch die militärische Nennung englischer Buchstaben, bei der A, B und C gerne mit „Alpha", „Bravo" und „Charlie" heißen. Weil der Übergang an der Friedrichstraße der dritte in Berlin gebaute ist, wurde er folglich „Charlie" genannt. Am 22. Juni 1990 wird dieser Checkpoint in Anwesenheit der Außenminister der 2+4-Staaten abgerissen. Willy Brandt, während des Mauerbaus Regierender Bürgermeister von Berlin, ist ebenfalls zugegen. Schon seit 1963 gab es dort das Mauer-Museum, das auch heute noch in Betrieb ist und einen wichtigen Teil Berliner Geschichte aufarbeitet. Zu Beginn war es dazu gedacht, Flüchtlingen zu helfen und mit Ausstellungen auf das Unrecht in der DDR hinzuweisen – eine „Insel der Freiheit im letzten Gebäude direkt vor der Grenze", wie es Museumsgründer Rainer Hildebrandt selbst beschreibt. Im Jahr 2000 wurde die Kontrollbaracke originalgetreu nachgebaut. Am Mauermuseum hängt nun auch, als bleibende Erinnerung, das Staatswappen der Deutschen Demokratischen Republik. Hammer und Ährenkranz symbolisieren die Arbeiter und Bauern. Das Wappen wurde erst 1959 in die schwarz-rot-goldene Flagge integriert. In der Bundesrepublik galt das Zeigen dieses Wappens bis 1969 als staatsfeindlicher Akt.

Willkommen im Westen:
Mädchen aus Ost-Berlin (Bild oben) besuchen am 12. November den Westteil Berlins. Gerade für die jüngere Generation ist er oft der erste Aufenthalt im Westen überhaupt. Der Jubel über die neue Bewegungsfreiheit ist groß – und auch über das neue Warenangebot.

100 Mark für alle:
Warteschlangen vor dem Gebäude der Deutschen Bank in Berlin, wo sich Bürger aus der DDR das sogenannte „Begrüßungsgeld" von 100 Westmark abholen können. Eigentlich wurde es bei den Stadtverwaltungen ausgezahlt, aufgrund der großen Nachfrage im November 1989 sprangen aber die Banken ein, die für die Auszahlung ebenfalls nur den Personalausweis oder den Reisepass verlangten. Trotzdem stehen in der Woche nach dem 9. November in manchen Berliner Bezirken bis zu 10.000 Menschen vor einer einzigen Bank. Das „Begrüßungsgeld" wurde bereits im Jahr 1970 eingeführt: Grundlage waren die „Ostverträge" unter Bundeskanzler Willy Brandt. Darin wurde es Rentnern der DDR gestattet, die Bundesrepublik zu be-

suchen. Allerdings durften sie dabei nur 70 und später nur noch 15 Ostmark mit sich führen. 1988 wurde es von 30 auf 100 Mark erhöht, dann aber nur noch einmal pro Jahr ausgezahlt. Im Jahr vor der Wende wurde es gut 250.000-mal ausgezahlt: Für 1989 war ursprünglich ein ähnlicher Etat im Staatshaushalt vorgesehen. Oft war für DDR-Bürger das „Begrüßungsgeld" die einzige Möglichkeit, an ausländische Devisen zu gelangen. Im Westen wurde es erst mit den Ereignissen im November 1989 wirklich bekannt. Diesmal aber wurde es meist sofort ausgegeben. Die begehrtesten Produkte waren Elektronikgeräte, Lebensmittel und Bekleidung – also eigentlich alles. Die Westberliner Einzelhändler und jene in grenznahen Gebieten bekamen es mit einem kurzzeitigen, dafür massiven Kaufkraftüberschuss zu tun, viele öffneten sogar an den Sonntagen. Kein Wunder, dass „Begrüßungsgeld" – neben „Trabi", „Mauerspecht" und „Runder Tisch" – zu einem der Wörter des Jahres gewählt wurde. Dies hätte im Jahr 1990 keinen Sinn mehr gemacht, denn Ende 1989 wurde dieses „Begrüßungsgeld" abgeschafft.

Bild links:
Am Grenzübergang Philippsthal – Vacha in Hessen (Kreis Hersfeld – Rothenburg) beginnen Grenzsoldaten am 28. November damit, einen 150 Meter langen Metallgitterzaun zwischen Hessen und Thüringen zu demontieren.

Deutschlands Grenze wird befriedet:
Es dauert nicht lange, und der sogenannte Todesstreifen bekommt seine ersten Risse. Am 27. November zum Beispiel, also nur zweieinhalb Wochen nach der Maueröffnung, beginnen Soldaten in der Nähe von Lübeck damit, den deutsch-deutschen Stacheldraht aufzurollen. Auch alle weiteren elektronischen Vorkehrungen, die über die Jahrzehnte hinweg immer weiterentwickelt worden waren, werden entfernt – dazu gehören Selbstschuss- und Alarmanlagen. Am 1. Dezember werden die ersten Grenzkommandos aufgelöst, drei Wochen später wird vom Ministerrat beschlossen, die Grenztruppen dem Ministerium des Innern zu unterstellen. Der damalige Verteidigungsminister Theodor Hoffmann hebt zudem offiziell den Schießbefehl auf. Erst am 21. September 1990, also zwei Wochen vor der Wiedervereinigung, werden die Grenztruppen komplett aufgelöst. Im Jahr 1967 hatte das DDR-Militär die Grenze akribisch organisiert, alle Zahlen waren bekannt: 2.622 Grenzsäulen, 13 Grenzbojen und mehr als 9.000 Grenzsteine waren gesetzt worden. Die deutsch-deutsche Grenze erzählt noch heute an vielen Gedenkstätten die traurigste Geschichte der Teilung. Sicher ist, dass mehrere hundert Menschen bei dem Versuch ums Leben kamen, die Grenze zu überqueren. Genaue Zahlen sind strittig. Das Museum am Checkpoint „Charlie" zählt genau 1.065 Grenz- und Mauertote; eingerechnet sind dabei die Toten vor dem Mauerbau von 1961. Nach 1961 starben demnach 190 Menschen in Berlin bei einem Fluchtversuch, 237 an der innerdeutschen Grenze und 164 Personen in oder vor der Ostsee. DDR-Grenzsoldaten, die von der Schusswaffe Gebrauch gemacht und Flüchtlinge erschossen hatten, wurden nach der Wiedervereinigung zu Haftstrafen oder auf Bewährung verurteilt. Die Debatte über Schuld und Unschuld von Schützen und Politikern beschäftigt die Republik bis heute.

Die Politik übernimmt:
Bundeskanzler Helmut Kohl (l) und der französische Staatspräsident François Mitterrand reichen sich am 8. Dezember vor ihren Gesprächen beim EG-Gipfel in Straßburg die Hände. Bei diesem Gipfel spricht die Europäische Gemeinschaft den Deutschen zum ersten Mal das Recht zu, in Selbstbestimmung einen Einigungsprozess durchführen zu können. Allerdings solle dies innerhalb des Rahmens der europäischen Integration geschehen.

Einheitswünsche:
Bundeskanzler Helmut Kohl (Bild rechts, am Rednerpult, M.) spricht am 19. Dezember in Dresden zu einer riesigen Menschenmenge, die sich anlässlich seines Besuches eingefunden hat. Rechts neben Kohl ist Bundesarbeitsminister Norbert Blüm zu sehen. Auf Plakaten wird der Wunsch nach einer Wiedervereinigung laut, die Menschen rufen jetzt nicht mehr „Wir sind das Volk", sondern: „Wir sind *ein* Volk". Kohl hält sich zu einem zweitägigen Besuch in der sächsischen Stadt auf und wird an beiden Tagen von der DDR-Bevölkerung stürmisch gefeiert. Doch er hat viele Interessen zu

berücksichtigen, und so sagt er in seiner Rede: „Mein Ziel bleibt die Einheit der Nation (…) Ich weiß auch, dass dies nicht von heute auf morgen zu tun ist. Wir, die Deutschen, leben nicht allein in Europa und in der Welt." Die Besorgnis über ein wiedervereinigtes Deutschland ist aufgrund der historischen Vorgeschichte tatsächlich in vielen Ländern gegeben. Außerdem ist nicht klar, wie sich ein vereinigtes Deutschland orientieren würde, neutral oder komplett den westlichen Bündnissen angebunden. Zu diesem Zweck hatte Kohl in Dresden auch den Übergangs-Ministerpräsidenten Hans Modrow getroffen, denn die aktuelle DDR-Regierung hatte zwei Wochen zuvor skeptisch auf seinen 10-Punkte-Plan reagiert. Modrow schwebt zu diesem Zeitpunkt lediglich ein „Vertrag über Zusammenarbeit und gute Nachbarschaft" vor, die Wiedervereinigung hat er nicht in Betracht gezogen. Die Rede vor der Ruine der Dresdner Frauenkirche war eigentlich nur als Zusatzpunkt geplant gewesen, wird dann aber der Hauptakt: Schon vor seinem Hotel war der Bundeskanzler mit „Helmut, Helmut"-Rufen sowie „Deutschland, einig Vaterland" empfangen worden.

Brandenburger Tor:

Es ist kalt am 22. Dezember 1989, und trotzdem sind Zehntausende Menschen gekommen, die vor beiden Seiten des Brandenburger Tores stehen und auf den großen Moment warten. Das Symbol der Stadt und des ganzen Landes wird geöffnet, um Punkt 15 Uhr ist es soweit. Den Anfang machen Bundeskanzler Helmut Kohl und Ministerpräsident Hans Modrow, die aufeinander zugehen und sich unter der Quadriga die Hände schütteln. Ihnen folgen die beiden Bürgermeister der Stadt, Walter Momper und Erhard Krack. Es ist jener Tag, an dem die Westberliner auch einmal Ostberlin ein bisschen besser kennen lernen können. Tausende spazieren am Abend die Straße Unter den Linden auf und ab. Das Brandenburger Tor aber, das zeigt sich am 22. Dezember, hat durch die Teilung des Landes von seiner Symbolkraft nichts verloren. Ursprünglich war es von 1788 bis 1791 von Carl Gotthard Langhans als Friedenstor im frühklassizistischen Stil erbaut worden. Drei Jahre nach der Fertigstellung bekam es von Gottfried Schadow die Quadriga aufgesetzt. Das Viergespann wird von der Siegesgöttin Viktoria gelenkt. Wiederum 15 Jahre später, im Jahr 1806, wurde die Quadriga von Napoleon nach Frankreich entführt; erst zur europäischen Restaurationszeit 1814 wurde sie wieder zurückgebracht. Nach dem Krieg gegen Frankreich wurde sie 1871 erstmals zum Symbol der Deutschen Einheit, als unter dem Tor die siegreichen Truppen hindurchmarschierten. Während der Diktatur der Nationalsozialisten wurde das Brandenburger Tor des Öfteren für Fackelmärsche und Paraden missbraucht, unter anderem bei der Machtergreifung 1933. Und nach dem Mauerbau 1961 befand es sich de facto auf Niemandsland zwischen zwei Grenzübergängen. So wurde das ursprüngliche Friedenstor zu einem Mahnmal der Teilung, denn es galt weltweit als die Grenze zwischen Ost und West überhaupt, als Symbol eines unüberbrückbaren, ideologischen Unterschieds. Nach der Maueröffnung war es aber sogleich das Symbol für einen erfreulichen Neuanfang und musste genau deswegen auch schon bald restauriert werden – es war bei den Silvester-Feierlichkeiten beschädigt worden.

Wut auf die Spitzel:

Am 15. Januar 1990 entlädt sich zum ersten Mal sichtbar der Volkszorn, als DDR-Bürger in die Zentrale des Ministeriums für Staatssicherheit in der Berliner Normannenstraße eindringen. Zur Demonstration vor der „Stasi"-Zentrale hat das „Neue Forum" aufgerufen: Fast 100.000 Menschen kommen. Sie skandieren „Stasi auf den Mond" oder auch „Ich will meine Akte". Es ist nicht nur Wut über Bespitzelungen in der Vergangenheit, die die Demonstranten antreibt – die „Stasi" arbeitet immer noch, auch wenn ihr Name schon in „Amt für nationale Sicherheit"

geändert worden ist. Von den gut 85.000 Mitarbeitern sind zu diesem Zeitpunkt erst 30.000 entlassen – viele bespitzeln offenbar immer noch. Deshalb bleibt es auch nicht bei einer Kundgebung vor dem Gebäude. Am frühen Abend werden von innen die Tore der Zentrale geöffnet: Volkspolizisten machen den Menschen den Weg frei. Brisantes Material finden sie allerdings in den Verwaltungsräumen nicht, was den Frust über jahrzehntelanges Ausspionieren nur zusätzlich antreibt. Viele zerstören Honecker-Portraits und Aktenvorlagen, es kommt auch zu Plünderungen, später gibt es einige zweifel-

hafte Fotos von Jugendlichen, die sich die BRD-Flagge umgeworfen haben und Hüte der Volkspolizei tragen. Etwa eine Stunde später ist alles wieder vorbei, die Demonstranten ziehen sich zurück. Noch am selben Abend werden die Bilder des Ansturms in beiden Deutschlands im Fernsehen gezeigt. So entsteht verstärkt der Eindruck, dass die aktuelle DDR-Regierung nicht Herr der Lage ist. Auf dem historischen Foto versucht ein Mann, eine Tür mit einem Hammer einzuschlagen, was allerdings nicht nötig ist: Bevor er sich gewaltsam Eintritt verschafft, wird sie von innen geöffnet.

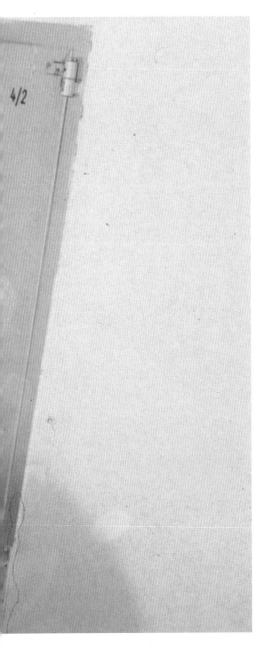

„Jetzt kommt das Volk":

Von den knapp 100.000 Demonstranten dringen etwa 2.000 in die „Stasi"-Zentrale ein und hinterlassen eine Spur der Verwüstung. Die Berliner Zentrale muss danach den Betrieb einstellen. Ebenfalls am 15. Januar 1990 werden auch kleinere „Stasi"-Büros in anderen Bezirken kurzzeitig besetzt. Das Ministerium für Staatssicherheit (MfS) hatte schon im Jahr 1950 seine Arbeit aufgenommen, zunächst mit 3.500 Mitarbeitern. Nach dem Volksaufstand vom 17. Juni 1953 wurde ihm der Rang eines Ministeriums genommen, weil es versagt hätte. Zwei Jahre später

wurde es, mit zusätzlichen Kompetenzen ausgestattet, wieder zu einem Ministerium gemacht. Seitdem, so die aktuellen Schätzungen, sind über 160 Menschen im Auftrag des MfS hingerichtet worden, Tausende wurden gefoltert. Erst viel später sollte deutlich werden, wie umfassend das Ministerium für Staatssicherheit gearbeitet hatte: Fast jeder 30. DDR-Bürger hat gespitzelt für die „Stasi", die zum Teil auch Kinder ab 14 Jahren einsetzte, um mehr über ihre Eltern zu erfahren. Später werden Akten zu jedem dritten Bürger entdeckt. Am 15. Januar 1990 jedoch sind diese Zahlen zum größten Teil noch nicht

bekannt, und die Wut ist trotzdem schon groß. Als die Situation aus der Kontrolle zu geraten scheint, wagt Ministerpräsident Modrow den Gang zu den Demonstranten. Per Megaphon ruft er auf zur Besonnenheit. Die junge Demokratie „sei in höchster Gefahr", heißt es zudem in einer Mitteilung im DDR-Fernsehen, das dafür das laufende Programm unterbricht. Die eigentlichen Initiatoren der Demonstration, die Mitglieder des „Neuen Forums", schaffen es dann schließlich, die Situation zu beruhigen, und die Demonstranten verlassen das Gebäude – weitere Unruhen bleiben vorerst aus.

Auftritt in Leipzig:
Am 14. März 1990 hält Bundeskanzler Helmut Kohl (l.) auf dem Karl-Marx-Platz in Leipzig (dem heutigen Augustusplatz) seine letzte Wahlkampfrede vor den vier Tage später stattfindenden DDR-Volkskammerwahlen. In der Mitte ist seine Ehefrau Hannelore Kohl zu sehen. Am 1. Dezember des Vorjahres hatte die SED ihren alleinigen Führungsanspruch verloren. Damit wurde der Weg für freie und

offene Wahlen geebnet. Noch am selben Tag beginnen in Bonn Vorverhandlungen für die 2+4-Gespräche, in denen die vier Siegermächte des Zweiten Weltkriegs mit den beiden Deutschen Staaten die möglichen Wege eines wiedervereinigten Deutschlands beraten.

Freier Wahlkampf:
Transparente mit Aufschriften wie „Mit Helmut für Deutschland" (Bild rechts)

waren auf der Wahlveranstaltung von Bundeskanzler Helmut Kohl am 14. März 1990 in Leipzig zu sehen, Hunderttausende waren gekommen. Bei den ersten freien Wahlen zur Volkskammer nach 40 Jahren ging dann auch die „Allianz für Deutschland", aus Ost-CDU, Deutscher Sozialer Union (DSU) und Demokratischem Aufbruch (DA), als Sieger hervor. Dabei hatte die DA zuvor noch einen Skandal erlebt: Der Vorsitzende

Wolfgang Schnur wurde als hochrangiger Inoffizieller Mitarbeiter (IM) der „Stasi" enttarnt, nachdem er dies lange bestritten hatte – sein Deckname „Dr. Ralf Schirmer". Acht Tage nach den Volkskammerwahlen musste der ostdeutsche SPD-Vorsitzende Ibrahim Böhme aus dem gleichen Grund zurücktreten. Der März ist derjenige Monat, in dem allmählich deutlich wird: Es gilt Abschied zu nehmen von der DDR – und auch von ihrem Alltag. Am 12. März findet die letzte Sitzung des sogenannten „Runden Tisches" statt. Daran beteiligt sind verschiedene gesellschaftliche Gruppen wie die Kirche sowie neu gegründete Parteien und die SED bzw. ihre Nachfolgerin, die PDS. Ihr Ziel ist es, Legislative und Exekutive nach dem drastischen Machtverlust der SED in Gang zu halten, obwohl der „Runde Tisch" selbst keine demokratische Legitimation in Form von Wahlen besessen hat. Am selben Tag findet auch die letzte Montagsdemonstration in Leipzig statt. Außerdem wird das DDR-Fernsehen in den „Deutschen Fernseh-Funk" umbenannt; der ADAC hat sein erstes Treffen in der DDR, die Lufthansa übernimmt eine Mehrheitsbeteiligung an Interflug. „Das Ziel, die Einheit Deutschlands zu vollenden, ist nun zum Greifen nahe", sagt dann auch Helmut Kohl bei seiner Wahlkampfrede.

Ministerpräsident auf Zeit:
Volkskammer-Präsidentin Sabine Bergmann-Pohl vereidigt am 12. April 1990 die Minister der ersten, frei gewählten Regierung der DDR. Neben ihr der neue Ministerpräsident der DDR, Lothar de Maizière (CDU). Die „Allianz für Deutschland" hat zuvor am 18. März die Wahlen mit 48 Prozent der Stimmen überraschend deutlich gewonnen, was als Signal für den Wunsch nach einer schnellen Wiedervereinigung gedeutet wird. Allein die CDU erhält 40,8 Prozent der Stimmen.

Die Einheit wird unterschrieben:
Die Unterzeichnung des Staatsvertrags zwischen der BRD und der DDR am 18. Mai im Palais Schaumburg in Bonn. Damit wird die Wirtschafts-, Währungs- und Sozialunion auf den Weg gebracht. Anwesend sind die Finanzminister Theo Waigel (CSU, rechts) und Walter Romberg (SPD, links), die (s. Bild) den Vertrag unterschreiben – Helmut Kohl und Lothar de Maizière (2.v.l.) sehen zu. Im Rahmen der Unterzeichnung sagt Kohl einen Satz, der ihm oft vorgehalten wird: Er sei sicher, dass „Brandenburg, Sachsen und Thüringen wieder blühende Landschaften in Deutschland sein werden". Zwei Tage zuvor hatten sich Bund und Länder auf einen 115 Milliarden Mark schweren Fonds „Deutsche Einheit" geeinigt.

Das neue Geld ist da:
Riesenandrang auf der Deutschen Bank am Berliner Alexanderplatz (Bild links): Am 1. Juli 1990 gibt es dort Verletzte, als die Scheiben bersten: Die Bank hat bereits um Mitternacht geöffnet, Zehntausende stehen da schon bereit. Mit der an diesem Tag vollzogenen Währungsunion ist die Wiedervereinigung der beiden deutschen Staaten einen entscheidenden Schritt näher gerückt. Der erste Tag der in einem Staatsvertrag vereinbarten Wirtschafts-, Währungs- und Sozialunion beginnt mit einem regelrechten Ansturm auf das begehrte neue Geld. In den ersten Stunden werden schätzungsweise 2,6 Milliarden D-Mark an DDR-Bürger ausbezahlt.

Bild oben:
Der 41-jährige Kohlefahrer Hans-Joachim Carsalli ist am 1. Juli 1990 der erste Bürger Ost-Berlins, der die West-Währung ausgezahlt bekommt. Freudestrahlend hält er 2.000 DM in die Kamera. Die ersten 4.000 DM werden im Verhältnis 1:1 zur Ost-Mark getauscht, alles weitere Geld im Verhältnis 1:2. Nicht nur in den Banken zeigt sich die Wirtschaftsunion: Von einen Tag auf den anderen verschwinden die Ostprodukte aus den Supermarktregalen.

Die Lösung im Kaukasus:
Bundeskanzler Helmut Kohl (r.), Michail Gorbatschow (M.) und Bundesaußenminister Hans-Dietrich Genscher (l.) unterhalten sich in entspannter Atmosphäre an einem rustikalen Arbeits¬tisch in der freien Natur, während die anderen Gäste amüsiert die Szene betrachten (hinten u.a. Frau Raissa Gorbatschowa). Der deutsche Bundeskanzler hielt sich zu einem Arbeitsbesuch in Archys im Kaukasus auf, um mit dem sowjetischen Staatspräsidenten über die Modalitäten der deutschen Wiedervereinigung zu sprechen. Bei den Verhandlungen am 16. Juli 1990, die am Frühstückstisch von Gorbatschows Jagdhaus begonnen hatten, war sie aber in Wahrheit schon seit einigen Tagen in trockenen Tüchern. Die Entwicklung hatte bereits im Februar begonnen, als die USA, entgegen der Haltung vieler EG-Staaten, die deutsche Wiedervereinigung vorantrieb – allerdings unter der Prämisse, dass Deutschland der NATO angehöre. Noch im März 1990 hatten sich die Sowjetunion und auch die Übergangsregierung der DDR dagegen ausgesprochen. Doch Anfang Juli stand der Parteitag der KPdSU an, und Gorbatschows Wiederwahl war gefährdet. So entschied sich der damalige Außenminister Eduard Schewardna¬dse, bei den laufenden 2+4-Gesprächen ein Angebot zu unterbreiten: Ein Vorzugskredit von etwa 10 Milliarden DM sei nötig, dann könne die Sowjetunion einer Wiedervereinigung mit NATO-Zugehörigkeit zustimmen. Während des Parteitags der KPdSU sendete auch die NATO noch ein Signal an Moskau: Man werde seine Streitkräftestruktur und die Strategie ändern, zum Beispiel werde die Zahl der Nuklearwaffen deutlich reduziert. Der Westen hatte großes Interesse daran, Gorbatschows Politik zu stabilisieren und dafür zu sorgen, dass revisionistische Tendenzen in der UdSSR nicht die Überhand gewännen. Und so hatten Kohl und Gorbatschow schon im Anschluss an den Parteitag in Moskau die wichtigsten Dinge im Voraus geregelt. Später erzählte Kohl, dass auch das persönlich gute Verhältnis zwischen ihm und Gorbatschow maßgeblich dazu beigetragen hätte – was bei den Gesprächen im Kaukasus auch deutlich geworden war.

Die Einigung:

Gleichzeitiger Händedruck (Bild oben) von DDR-Ministerpräsident Lothar de Maizière (M.) mit Bundesinnenminister Wolfgang Schäuble (l.) und DDR-Staatssekretär Günther Krause am 31. August 1990. Im Palais Unter den Linden in Berlin besiegelten am 31. August 1990 die Regierungen beider deutscher Staaten den Beitritt der DDR zur Bundesrepublik zum 3. Oktober 1990. Dieser Vertrag regelt die letzten Einzelheiten des formalen Beitritts der DDR zur Bundesrepublik. Verhandlungen wurden noch bis zum Vorabend der Unterzeichnung geführt. Die letzten strittigen Punkte zwischen den Regierungsparteien und der oppositionellen SPD betrafen das Abtreibungsrecht und vor allem die Handhabung der Akten des Staatssicherheitsdienstes.

Auf gute Zusammenarbeit:

Bundesaußenminister Hans-Dietrich Genscher (l.) und sein sowjetischer Amtskollege Eduard Schewardnadse (r) tauschen am 13. September 1990 Vertragsdokumente aus. Sie haben in Moskau den „Umfassenden Vertrag über gute Nachbarschaft, Partnerschaft und Zusammenarbeit" paraphiert. Am 9. November 1990, also genau ein Jahr nach dem Fall der Berliner Mauer, wird der Vertrag von Bundeskanzler Helmut Kohl und Generalsekretär Michail Gorbatschow unterschrieben. Der Vertrag sieht vor, dass Deutschland einen Betrag von 13 Milliarden DM an die Sowjetunion zahlt. Damit wird unter anderem der Abzug der Truppen finanziert. Auch dieser Vertrag ist ein Produkt der Kaukasus-Verhandlungen zwischen Kohl und Gorbatschow, zwei Monate zuvor.

2+4 = Durchbruch:

Am 12. September 1990 ist der letzte wichtige Schritt zur Wiedervereinigung vollzogen: Die Außenminister der vier Siegermächte sowie der beiden Deutschlands unterzeichnen den „Vertrag über die abschließende Regelung in Bezug auf Deutschland". Die 2+4-Verhandlungen hatten am 5. Mai in Bonn begonnen. Bis kurz vor der Unterzeichnung hatte es Vorbehalte gegenüber dieser Regelung gegeben, vor allem auf Seiten Frankreichs und Großbritanniens, die sich von der Geschwindigkeit des Einigungsprozesses überrascht zeigten – sie konnten jedoch mithilfe des US-Außenministers Baker von der Wichtigkeit der Regelung überzeugt werden. Im eigentlichen Sinne handelt es sich um einen Friedensvertrag, der viele Fragen klärt, die seit 1945 unbeantwortet geblieben waren. Rechte und Verantwortlichkeiten der Siegermächte werden zum 3. Oktober 1990 abgetreten, Deutschland hat vor allem das Recht auf freie Bündniswahl und kann damit NATO-Mitglied bleiben. Die Oder/Neiße-Linie wird von Deutschland als Westgrenze Polens anerkannt. Deutschland verpflichtet sich weiterhin, keine Angriffskriege zu führen und die Bundeswehr auf

eine Personalstärke von 370.000 Mann zu reduzieren. Nach rund 45 Jahren erhält Deutschland damit seine volle Souveränität zurück. Der sowjetische Außenminister Eduard Schewardnadse lobt das Vertragswerk als „Schlussstrich" unter die Ergebnisse des Zweiten Weltkrieges und als Beginn einer „neuen Zeitrechnung". Bundeskanzler Kohl betont, es handele sich um ein „weiteres Schlüsseldatum auf dem Weg zur deutschen Einheit", und sagt weiter: „Dies ist die erste Einigung eines Landes in der modernen Geschichte, die ohne Krieg, ohne Leid und ohne Auseinandersetzungen erfolgt." Das Bild zeigt die Außenminister Roland Dumas (Frankreich, 2. v.r.), Eduard Schewardnadse (UdSSR, 3.v.r.), den sowjetischen Präsidenten Michail Gorbatschow (M.), James Baker (USA, dahinter), Hans-Dietrich Genscher (BRD, 2. v.r.), Lothar de Maizière (DDR, davor) und Douglas Hurd (Großbritannien, r.) nach der Unterzeichnung im Moskauer Hotel „Oktober".

Beschlossen:
Stehend begrüßen die Abgeordneten der Volkskammer (Bild links) am 23. August 1990 um drei Uhr morgens mit Applaus den Beschluss über den Beitritt der Deutschen Demokratischen Republik zur Bundesrepublik Deutschland zum 3. Oktober. Der Entscheidung waren lange Auseinandersetzungen vorausgegangen. Zwei Tage zuvor war ein Vorstoß von Regierungschef Lothar de Maizière, die Einheit am 14. Oktober zu vollziehen, mit den Stimmen der SPD abgelehnt worden. Doch im zweiten Anlauf erhielt der Wahlvertrag die erforderliche Zweidrittelmehrheit, allerdings noch ohne ein Datum für den Beitritt. Deshalb beantragte de Maizière die Einberufung einer Sondertagung. Behandelt werden sollten zwei Anträge auf sofortigen Beitritt und über einen Beitritt am 14. Oktober. Die Sitzung wurde noch für den gleichen Abend einberufen. Die Anträge wurden abgelehnt, ein Kompromiss sah jedoch vor, dass nun der Beitritt mit Wirkung vom 3. Oktober 1990 vollzogen werden sollte. Die CDU/DA, die FDP und die SPD stimmten zu. In der nächtlichen Abstimmung beschloss die Volkskammer mit 294 gegenüber 62 Stimmen den „Beitritt der DDR zum Geltungsbereich des Grundgesetzes der Bundesrepublik Deutschland gemäß Artikel 23 des Grundgesetzes mit der Wirkung vom 3. Oktober 1990". Unmittelbar nach der Auszählung um genau 2.47 Uhr sagte PDS-Chef Gregor Gysi in einer Erklärung: „Frau Präsidentin! Das Parlament hat soeben nicht mehr und nicht weniger als den Untergang der Deutschen Demokratischen Republik zum 3. Oktober 1990 beschlossen." Die CDU/DA-Fraktion quittierte dies mit lautem Applaus.

Geschafft:

Über alle Parteigrenzen hinweg feiert ganz Deutschland am 3. Oktober 1990 die so lang ersehnte Wiedervereinigung. Vor dem Berliner Reichstagsgebäude findet sich die politische Prominenz zusammen (von links: Willy Brandt, Wolfgang Schäuble, Hans-Dietrich Genscher, Hannelore und Helmut Kohl, Richard von Weizsäcker, Rita Süßmuth) und mit ihr fast eine Million Menschen aus Ost und West zu beiden Seiten des offenen Brandenburger Tores. Das Reichstagsgebäude ist natürlich ein Ort von großer, histo-

rischer Bedeutung: Hier wurde 1918 die erste deutsche Republik ausgerufen, der Brand des Gebäudes im Jahr 1933 hatte mit dafür gesorgt, dass die Nazis an die Macht kamen, was letztlich 1945 zur Teilung des Landes führte. Deshalb kann die Feier der Wiedervereinigung eines nun souveränen Deutschlands an keinem anderen Ort stattfinden. Im BILD-Band „50 Jahre Deutschland" erinnert sich Helmut Kohl: „Ich war glücklich, als ich damals mit meiner Frau auf der Treppe unter dem Hauptportal des Reichstages stand und eine halbe Million Menschen mit uns

dort fröhlich feierten. Mich erfüllte aber auch ein Gefühl tiefer Dankbarkeit. Viele haben zur deutschen Einheit beigetragen. Wer denkt dabei nicht an Persönlichkeiten wie George Bush oder Michail Gorbatschow?" Schon am Abend des 2. Oktober gehen Glückwünsche aus aller Welt ein, gerade auch von jenen Personen, ohne die die Vereinigung nicht möglich gewesen wäre. Der 3. Oktober 1990 ist eine unmittelbare Konsequenz aus den Ereignissen des 9. November, die wiederum ohne eine veränderte weltpolitische Lage nicht möglich gewesen wären.

Die Stunden vor der Einheit:
Ausgelassen feiert eine riesige Menschenmenge in der Nacht vom 2. auf den 3. Oktober 1990 vor dem Brandenburger Tor in Berlin die deutsche Wiedervereinigung. Mit dem Beitritt der DDR zur Bundesrepublik am 3. Oktober 1990 sind die Deutschen 45 Jahre nach Kriegsen-

de wieder in einem einzigen souveränen Staat vereint. Es ist vielleicht das glücklichste Jahr der Deutschen überhaupt, ein Jahr, in dem Feiern zum Dauerzustand wird. Zum Lied des Jahres wird „Wind of Change" von den „Scorpions", obendrein gewinnt Deutschland in Italien die Fußball-Weltmeisterschaft.

3. Oktober – der erste Feier-Tag:
Mit wehenden Fahnen versammeln sich Tausende Menschen vor dem Brandenburger Tor in Berlin. Die offizielle Feier findet um Mitternacht gleich nebenan statt, vor dem Reichstagsgebäude. Auf seinem Dach wird eine große, schwarz-rot-goldene Fahne gehisst, um 0 Uhr

wird das Deutschland-Lied gesungen, ein riesiges Feuerwerk wird entfacht. Richard v. Weizsäcker, von 1984 bis 1994 Bundespräsident, hat die Bedeutung dieses Tages in einem Aufsatz festgehalten: „In freier Selbstbestimmung vollenden wir die Einheit und Freiheit Deutschlands. Wir wollen in einem ver-

einten Europa dem Frieden der Welt dienen." Einige Stunden vor der Einigungsfeier hatte der letzte Ministerpräsident der DDR, Lothar de Maizière, am Platz der Akademie, der heute wieder Gendarmenmarkt heißt, sein Land verabschiedet: „Es gibt nur noch einen gemeinsamen deutschen Staat. Was

für die meisten nur ein Traum war, wird Wirklichkeit: dass die selbstverständliche Zusammengehörigkeit wieder gelebt werden kann, in Anknüpfung an die seit Jahrhunderten gewachsenen geistigen und kulturellen Traditionen, in Fortsetzung der gemeinsamen familiären und emotionalen Bindungen."

Brandt-Rede im Reichstag:

Willy Brandt, Alterspräsident des Bundestags und Ehrenvorsitzender der SPD, verweist in einer Rede am 4. Oktober 1990 im Berliner Reichstag auf die Verdienste seiner Partei um die deutsche Einigung. Seine Ostpolitik als Kanzler von 1969 bis 1974 wies den Weg zur Überwindung der Konfrontationen.

Bild links:

Am 4. Oktober 1990 sitzen die Abgeordneten des Bundestages quasi auf ihren Koffern. Bis auf weiteres ist dieses historische Gebäude, der Reichstag, wieder der Sitz des Bundestags. Mit dabei sind erstmals auch 144 Abgeordnete aus der ehemaligen DDR. Die Frage nach dem neuen Sitz des Bundestages und der Regierung wird aber erst am 21. Juni 1991 entschieden – für Berlin. In seiner Rede am 4. Oktober hatte Willy Brandt Weitblick bewiesen: „Von hier aus muss meiner Überzeugung nach ein ins Gewicht fallender Teil hauptstädtischer Aufgaben wahrgenommen werden. Der neue Bundestag sollte die Entscheidung hierüber nicht überstürzen, aber auch nicht auf die lange Bank schieben." – Die Sitzung erscheint zwar improvisiert, dass es jedoch ein bedeutsames Zusammentreffen ist, beweisen die Gäste auf der Galerie: Bundespräsident von Weizsäcker sowie die Alt-Bundespräsidenten Scheel und Carstens sitzen dort. Bundestagspräsidentin Rita Süssmuth beginnt die 228. Sitzung mit einem schlichten „Guten Morgen".

1945

30.4. Hitler begeht in seinem Berliner Führerbunker Selbstmord. Auch Eva Braun, die er einen Tag zuvor heiratete, nimmt sich mit einer Giftkapsel das Leben.

Eine Exilgruppe der Kommunistischen Partei Deutschlands (KPD) unter Walter Ulbricht kommt nach Deutschland, um die politischen Ziele der KPD beim Neuaufbau durchzusetzen.

7.5. In Reims (Westfrankreich) unterzeichnen Generaloberst Alfred Jodl, Generaladmiral Hans-Georg von Friedeburg und General Wilhelm Oxenius die bedingungslose Kapitulation aller deutschen Streitkräfte. Die Kapitulation tritt am 9. Mai um 0 Uhr 01 in Kraft.

8./9.5. Wiederholung des Kapitulationsaktes durch den Chef des Oberkommandos der Wehrmacht, Generalfeldmarschall Wilhelm Keitel, im Beisein des sowjetischen Marschalls Georgi K. Schukow im sowjetischen Hauptquartier in Berlin-Karlshorst.

5.6. Mit der Berliner Deklaration „in Anbetracht der Niederlage" übernehmen die Regierungen der vier Siegermächte die „Oberste Regierungsgewalt in Deutschland". Sie teilen Deutschland entsprechend den Grenzen von 1937 in vier Besatzungszonen auf, Berlin unter einer Militärkommandantur in vier Sektoren.

1.-4.7. Sowjetische Truppen besetzen die von den Amerikanern geräumten Gebiete in Sachsen und Thüringen sowie die von den Briten geräumte Küste Mecklenburgs.

17.7.-2.8. Potsdamer Konferenz der „Großen Drei": Harry S. Truman, Winston S. Churchill bzw. ab 28. Juli Clement R. Attlee und Josef W. Stalin. Das sogenannte Potsdamer Abkommen regelt die künftige Politik der Alliierten für das Deutsche Reich.

1946

14.1. Im Pariser Abkommen einigen sich Vertreter von 18 Staaten über die Reparationsleistungen Deutschlands an die Siegermächte.

7.3. Gründung der Freien Deutschen Jugend (FDJ) in Berlin unter Vorsitz

Vom 4. bis 11. Februar des Jahres 1945 kamen in der sowjetischen Stadt Jalta auf der Krim die Vertreter der Alliierten zu einer Gipfelkonferenz zusammen. Ihr Ziel war es, die politischen und militärischen Maßnahmen angesichts des bevorstehenden Kriegsendes zu vereinbaren. So beschlossen die Konferenzpartner unter anderem, das deutsche Gebiet in vier Besatzungszonen aufzuteilen. Das Bild zeigt von links: Churchill, Roosevelt und Stalin.

Unterzeichnung der Kapitulation im sowjetischen Hauptquartier Karlshorst durch Generalfeldmarschall Keitel, Generaloberst Stumpff und Generaladmiral von Friedeburg: „Wir, die hier Unterzeichneten, handelnd in Vollmacht für und im Namen des Oberkommandos der deutschen Wehrmacht, erklären hiermit die bedingungslose Kapitulation aller am gegenwärtigen Zeitpunkt unter deutschem Befehl stehenden oder von Deutschland beherrschten Streitkräfte auf dem Lande, auf der See und in der Luft, gleichzeitig gegenüber dem Obersten Befehlshaber der alliierten Expeditionsstreitkräfte und dem Oberkommando der Roten Armee."

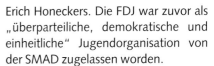

*Die drei Sieger in Potsdam: Attlee, Truman, Stalin (von links). Der Mann in der wei-
ßen Jacke sollte der Gewinner der hier verhandelten Neuordnung Europas werden.
Einst Komplize Hitlers beim Überfall auf Polen 1939, brauchte er jetzt nichts von
seiner damaligen Beute herauszugeben: Er verschob Polen einfach nach Westen.
Schlesier, Pommern und Ostpreußen wurden aus ihrer Heimat vertrieben.*

*Eine Douglas C-54 Skymaster, von den Berlinern „Rosinenbomber" genannt, im
Anflug auf Tempelhof. Knapp elf Monate lang wurde die Millionenstadt über die
alliierte Luftbrücke versorgt, nachdem die Sowjets die Transportwege zu Lande und
zu Wasser abgeschnürt hatten.*

Erich Honeckers. Die FDJ war zuvor als
„überparteiliche, demokratische und
einheitliche" Jugendorganisation von
der SMAD zugelassen worden.
21./22.4. Vereinigungsparteitag der KPD
und SPD der sowjetischen Besatzungszone zur Gründung der SED in Berlin.
1.8. Wiedereröffnung der Deutschen
Akademie der Wissenschaften in Ost-
Berlin.
6.9. US-Außenminister James Francis
Byrnes legt in seiner „Stuttgarter Rede"
die Grundsätze der Besatzungspolitik
der Vereinigten Staaten in Deutschland
dar und leitet damit eine positive Wende
in den deutsch-amerikanischen Beziehungen ein.
29.10. Erste Nachkriegs-Volkszählung in
den vier Besatzungszonen Deutschlands.
Dabei werden 65,9 Millionen Einwohner
erfasst, darunter 36,6 Millionen Frauen
und 29,3 Millionen Männer einschließlich
9,7 Millionen Vertriebene.

1947

1.1. Wirtschaftliche Vereinigung der
amerikanischen und der britischen Besatzungszone zur Bizone.
25.2. Formelle Auflösung des Landes
Preußen als „Träger des Militarismus und
der Reaktion" durch das Kontrollratsge-
setz Nr. 46.
4.3. Gründung der Nachrichtenagentur
ADN (Allgemeiner Deutscher Nachrich-
tendienst) in der sowjetischen Besatzungszone.
12.3. Verkündung der „Truman-Dok-
trin" zur Eindämmung (Containment)
der kommunistischen Gefahr.
5.6. US-Außenminister George C. Mar-
shall fordert in einer Rede an der Har-
vard-University ein wirtschaftliches Auf-
bauprogramm für Europa und die Einbeziehung Deutschlands auf der Basis
gegenseitiger Hilfe und der Hilfestellung
durch die USA. Dieses European Recove-
ry Program (ERP) wird als sogenannter
Marshallplan bekannt.
6.-8.6. Ministerpräsidentenkonferenz in
München. Vorzeitige Abreise der Mini-
sterpräsidenten-Delegation aus der SBZ.
20.9.-24.9. 2. Parteitag der SED in Berlin:
Der stellvertretende Parteivorsitzende

Walter Ulbricht fordert die Einführung der Planwirtschaft in der SBZ und die Umwandlung der SED in eine „Partei neuen Typus" nach dem Vorbild der sowjetischen KPdSU.

25.11.-15.12. Sechste Konferenz des Außenministerrats der vier Siegermächte in London: Im Mittelpunkt steht die Erörterung der Deutschen Frage. Die Konferenz steht von Beginn an im Zeichen des sich verschärfenden Ost-West-Konflikts.

1948

23.2.-6.3. Erste Sitzungsperiode der Londoner Sechsmächtekonferenz, zu der die Sowjetunion nicht eingeladen wird: Die drei Westalliierten und die Benelux-Staaten empfehlen die Schaffung eines bundesstaatlichen Systems in Westdeutschland sowie dessen Einbeziehung in den Marshallplan und die Ruhrkontrolle.

20.3. Der sowjetische Militärgouverneur Sokolowski verlässt den Alliierten Kontrollrat aus Protest gegen die Empfehlungen der Londoner Sechsmächtekonferenz vom 23.2. bis 6.3. und die Gründung der „West-Union" vom 17.3.1948. Damit endet die gemeinsame Verwaltung Deutschlands durch die vier Siegermächte.

20.4.-2.6. Zweite Sitzungsperiode der Londoner Sechsmächtekonferenz der drei westlichen Siegermächte und der Benelux-Staaten: Beschluss, dem deutschen Volk zu ermöglichen „auf der Basis einer freien und demokratischen Regierungsform" seine Einheit wiederherzustellen und allmählich „volle Regierungsverantwortung" zu übernehmen. Ermächtigung der westdeutschen Ministerpräsidenten, eine „verfassunggebende Versammlung" einzuberufen.

20.6. Währungsreform durch Einführung der D-Mark in den westlichen Besatzungszonen.

23.6. Währungsreform in der SBZ.

24.6. Die SMAD beginnt die Großblockade der Berliner Westsektoren zu Lande und zu Wasser als Reaktion auf den gescheiterten Versuch, ihre Währungsreform auf Gesamtberlin auszudehnen;

Verkündung des Grundgesetzes am 23. Mai 1949 durch Konrad Adenauer. Von links: Helene Weber, Hermann Rudolph Schäfer, Konrad Adenauer, Adolph Schönfelder und Jean Stock.

die Westmächte führen in ihren Sektoren die D-Mark ein.

Die Sowjetunion erklärt die Vier-Mächte-Verwaltung Groß-Berlins für „praktisch beendet".

26.6. Beginn der britisch-amerikanischen Luftbrücke zur Versorgung West-Berlins mit Waren und Lebensmitteln.

1.7. Die drei westalliierten Militärgouverneure übergeben die „Frankfurter Dokumente" an die Regierungschefs der elf Länder in den drei westlichen Besatzungszonen. Sie sehen die Einberufung einer verfassunggebenden Versammlung bis zum 1.9.1949 mit dem Ziel der Bildung eines föderalen Staates, die Neugliederung der Länder und den Erlass eines alliierten Besatzungsstatuts vor.

3.7. Aufstellung bewaffneter Volkspolizei-Einheiten durch die SMAD in der SBZ.

13.10. Der Bergarbeiter Adolf Hennecke aus Zwickau übertrifft laut offiziellen Angaben in einer Sonderschicht das Förderungssoll für Bergarbeiter in der SBZ um 380 %: Beginn der Aktivistenbewegung in der SBZ.

30.11. Die SED spaltet den Berliner Magistrat. In Ost-Berlin wird eine eigene Stadtverwaltung eingerichtet. Der Amtssitz des West-Berliner Magistrats ist das Schöneberger Rathaus.

13.12. Gründung der Jugendorganisation „Junge Pioniere" in Ost-Berlin.

1949

19.3. Verabschiedung der Verfassung der künftigen DDR durch den Volksrat der Länder der Sowjetischen Besatzungszone (SBZ).

4.4. Gründung der Nordatlantischen Verteidigungsgemeinschaft (NATO) in Washington.

12.5. Die Sowjetunion hebt die Berlin-Blockade auf.

23.5. Feierliche Verkündung des Grundgesetzes für die Bundesrepublik Deutschland in Bonn. Das Grundgesetz tritt damit in Kraft.

30.5. Der Deutsche Volkskongress billigt die Verfassung der DDR.

1.7. Die westalliierte Stadtkommandantur übermittelt Oberbürgermeister Ernst Reuter das Verbot der Teilnahme Berlins an den allgemeinen Wahlen zum Ersten Deutschen Bundestag; die Berliner Stadtverordnetenversammlung entsendet Abgeordnete ohne Stimmrecht.

12.9. Die Bundesversammlung wählt in Bonn den Bundespräsidenten: Im zweiten Wahlgang setzt sich Theodor Heuss (FDP) gegen Kurt Schumacher (SPD) durch.

15.9. Wahl Konrad Adenauers (CDU) zum Bundeskanzler.

7.10. Gründung der Deutschen Demokratischen Republik (DDR). Die Provisorische Volkskammer (bisher 2. Deutscher Volksrat) setzt die Verfassung in Kraft.

11.10. Die Provisorische Volkskammer und die Provisorische Länderkammer wählen einstimmig den SED-Vorsitzenden Wilhelm Pieck zum Präsidenten der DDR.

12.10. Die Provisorische Volkskammer bestätigt die Provisorische Regierung aus Vertretern der SED (Sozialistische Einheitspartei Deutschlands), LDP (Liberal-Demokratische Partei), CDU (Christlich Demokratische Union), NDPD (National-Demokratische Partei Deutschlands) und DBD (Demokratische Bauernpartei Deutschlands). Otto Grotewohl wird Ministerpräsident der DDR.

„Auf Vorschlag aller Fraktionen wählten die Provisorische Volkskammer und die Provisorische Länderkammer am 11. Oktober 1949 den Vorsitzenden der SED, Wilhelm Pieck, zum Präsidenten der DDR. Die jüngste Abgeordnete der Volkskammer, Margot Feist (spätere Ehefrau von Erich Honecker), beglückwünscht Wilhelm Pieck zu seiner Wahl als Staatspräsident. " (Originalunterschrift)

7.11. Bei Feierlichkeiten in der DDR erklingt erstmals die Nationalhymne der DDR.

22.11. Die Alliierten Hohen Kommissare und Bundeskanzler Adenauer unterzeichnen das Petersberger Abkommen. Es berechtigt die Bundesrepublik unter anderem, konsularische Beziehungen zu westlichen Staaten aufzunehmen und internationalen Organisationen beizutreten.

1950

8.2. Die Volkskammer billigt das Gesetz zur Bildung des Ministeriums für Staatssicherheit (MfS) in der DDR.

22.3. Die Bundesregierung veröffentlicht eine Erklärung zur Wiederherstellung der Deutschen Einheit unter der Voraussetzung, dass gesamtdeutsche Wahlen unter internationaler Kontrolle durchgeführt werden.

25.3. Die UdSSR entlässt die DDR in die Souveränität.

6.6. Polen und die DDR erklären in Warschau die Oder-Neiße-Linie zur endgültigen deutsch-polnischen Grenze.

15.6. Der Bundestag beschließt den Beitritt zum Europarat.

25.6. Nordkoreanische Streitkräfte rücken in Südkorea ein: Beginn des Koreakrieges.

6.7. Unterzeichnung des Görlitzer Abkommens über die Oder-Neiße-Grenze zwischen Polen und der DDR.

17.8. Die Regierung der DDR verabschiedet den Ersten Fünfjahresplan, der eine zentrale staatliche Planwirtschaft zur Verdoppelung der Industrieproduktion und Steigerung der Arbeitsproduktivität vorsieht.

29.9. Aufnahme der DDR in den osteuropäischen Rat für Gegenseitige Wirtschaftshilfe (RGW/COMECON).

15.10. Wahlen zur Volkskammer, zu Land-, Kreistagen und Gemeindevertretungen der DDR. 99,7 % der Wähler votieren für die Abgeordneten der Nationalen Front.

30.11. Der DDR-Ministerpräsident Otto Grotewohl schlägt der Bundesregierung die Bildung eines „Gesamtdeutschen Konstituierenden Rates" vor. Die Aktion Deutsche an einen Tisch hatte die Prager Außenministerkonferenz empfohlen.

1951

15.2. Der Bundestag verabschiedet das Gesetz über die Errichtung des Bundesgrenzschutzes (BGS). Mit dem BGS wird eine dem Bundesinnenministerium unterstellte Sonderpolizei des Bundes geschaffen.

18.4. Die Außenminister der Benelux-Staaten, Frankreichs, Italiens und der Bundesrepublik unterzeichnen in Paris den Vertrag über die Gründung einer Europäischen Gemeinschaft für Kohle und Stahl (EGKS), der sogenannten Montanunion.

9.7. Großbritannien erklärt als erste der drei Westmächte die Beendigung des Kriegszustandes mit Deutschland, Frankreich folgt am 13.7. und die USA am 19.10.1951.

3.8. Das erste Stalin-Denkmal in Deutschland wird in Ost-Berlin enthüllt.

10.-14.9. Außenministerkonferenz der drei Westmächte in Washington zur Deutschlandpolitik. Die drei Westmächte beschließen, die Bundesrepublik „auf

In ohnmächtiger Wut bewerfen aufgebrachte Jugendliche am 17. Juni 1953 heranrollende sowjetische Panzer mit Pflastersteinen. Nach der Niederschlagung des Volksaufstandes schrieb Bertold Brecht, sonst verwöhntes Aushängeschild der DDR-Kultur: „Wäre es nicht besser, die Regierung löste das Volk auf und wählte ein neues?"

der Grundlage der Gleichberechtigung in eine kontinental-europäische Gemeinschaft" zu integrieren. Die Bundesrepublik soll ferner an der westlichen Verteidigung beteiligt und das Besatzungsstatut durch einen Deutschlandvertrag so lange ersetzt werden, bis eine Friedensregelung mit einem geeinten Deutschland folgt.

8.10. In der DDR werden die Rationierung aller Produkte bis auf Fleisch, Fett und Zucker aufgehoben und Preissenkungen für Textilien und Backwaren eingeleitet.

1952

4.2. DDR-Ministerpräsident Otto Grotewohl legt den Grundstein für den Bau der Stalinallee in Ost-Berlin.

6.2. Der Bundestag billigt das Wahlgesetz für eine verfassunggebende gesamtdeutsche Nationalversammlung.

10.3. In der ersten sogenannten Stalin-Note schlägt der sowjetische Partei- und Regierungschef Josef Stalin den drei Westmächten vor, einen Friedensvertrag mit einer gesamtdeutschen Regierung unter folgenden Bedingungen abzuschließen: Wiedervereinigung in den Grenzen, wie sie die Potsdamer Konferenz festgelegt habe. Neutralisierung Deutschlands nach Abzug aller ausländischen Truppen. Aufbau nationaler Streitkräfte zur Landesverteidigung. Verbot antidemokratischer Organisationen und Garantie demokratischer Rechte und Parteien.

Mit schwarz-rot-goldenen Fahnen marschieren am 17. Juni 1953 Arbeiter des Berliner Ostsektors durch das Brandenburger Tor.

25.3. Die Westmächte lehnen die in der „Stalin-Note" geforderten Verhandlungen über einen Friedensvertrag mit ausdrücklicher Billigung Bundeskanzler Adenauers ab, solange keine freien gesamtdeutschen Wahlen stattgefunden haben.

2.5. Bundespräsident Heuss und Bundeskanzler Adenauer einigen sich auf das Deutschlandlied als Nationalhymne. Bei staatlichen Anlässen soll künftig die dritte Strophe gesungen werden.

26.5. In Bonn wird der „Vertrag über die Beziehungen zwischen der Bundesrepublik Deutschland und den drei Westmächten" unterzeichnet. Der sogenannte Deutschland- oder Generalvertrag sieht die Gleichberechtigung der Bundesrepublik innerhalb der westeuropäischen Gemeinschaft vor.

7.8. Gründung der „Gesellschaft für Sport und Technik" (GST) zur paramilitärischen und wehrsportlichen Erziehung und Ausbildung von Jugendlichen in der DDR.

1953

5.3. Der 73jährige sowjetische Partei- und Regierungschef Josef Stalin stirbt in Moskau an den Folgen eines Schlaganfalls.

25.3. Der Bundestag verabschiedet das Bundesvertriebenengesetz, das die Eingliederung von Vertriebenen und Flüchtlingen aus den früheren deutschen Ostgebieten und der DDR bundesweit einheitlich regelt.

16.6. 80 Bauarbeiter der Ost-Berliner Stalinallee treten in den Ausstand, um gegen die im Mai angeordnete Arbeitsnormenerhöhung zu protestieren. Durch Solidarisierung weiterer Kollegen entsteht eine Großdemonstration von rund 10.000 Menschen, die sich zum Regierungsgebäude in der Leipziger Straße bewegt.

17.6. Der Streik gegen die Normenerhöhung in Ost-Berlin weitet sich auf 72 Städte und zahlreiche Ortschaften in der DDR zum Aufstand gegen das kommunistische Regime aus. Die Demonstrationen werden von sowjetischen Soldaten und DDR-Volkspolizisten gewaltsam zerschlagen. Über insgesamt 167 Städte und Landkreise wird der Ausnahmezustand verhängt.

18.6. In Ost-Berlin, Leipzig, Magdeburg und Jena werden etwa 20.000 Personen vorübergehend in Haft genommen. Von ihnen werden in den ersten Tagen 29 Personen von sowjetischen Standgerichten zum Tode verurteilt und hingerichtet und in den nächsten Monaten mindestens 1400 zu teilweise mehrjährigen Freiheitsstrafen verurteilt.

21.6. Das ZK der SED beschließt eine Kurskorrektur. Die Normenerhöhung wird zurückgenommen, Fahrpreisermäßigung, Erhöhung der Mindestrenten und Forcierung des Wohnungsbauprogramms werden beschlossen.

4.8. Der 17. Juni wird durch Bundesgesetz zum „Tag der deutschen Einheit" bestimmt.

1954

7.4. Die Bundesregierung und der Bundestag lehnen die Anerkennung der DDR ab und stellen den Alleinvertretungsanspruch der Bundesrepublik fest.

1.6. Gründung der „Deutschen Lufthansa" in der DDR (1958 in „Interflug" umbenannt).

17.6. Erstmals wird in der Bundesrepublik Deutschland der „Tag der deutschen Einheit" als gesetzlicher Feiertag begangen.

1955

1.5. Erstes öffentliches Auftreten bewaffneter Verbände der Kampfgruppen der DDR-Betriebe („Kampfgruppen der Arbeiterklasse") bei den Mai-Demonstrationen in Ost-Berlin.

5.5. Die „Pariser Verträge" treten in Kraft. Abgesehen von einigen alliierten Sonderrechten wie Truppenstationierung, Berlin-Status, Wiedervereinigungs- und Friedensvertragsfrage erlischt das Besatzungsstatut, die Bundesrepublik wird bedingt souverän.

9.5. Beitritt der Bundesrepublik zur NATO.

14.5. Regierungsvertreter der DDR, Albaniens, Bulgariens, Polens, Rumäniens, Ungarns, der Tschechoslowakei und der Sowjetunion unterzeichnen in Warschau den „Vertrag über Freundschaft, Zusammenarbeit und gegenseitigen Beistand". Der Warschauer Pakt ist als Gegengewicht zur NATO gedacht, sichert der Sowjetunion das Recht zur Stationierung ihrer Truppen in Ost- und Mitteleuropa und schließt die kommunistischen Staaten unter sowjetischer Führung stärker zusammen.

26.7. Der Generalsekretär der KPdSU, Nikita S. Chruschtschow, verkündet auf einer Kundgebung in Ost-Berlin die sowjetische Zweistaatentheorie, die von einer Teilung Deutschlands ausgeht. Sie besagt, dass die Wiedervereinigung

„Unsere Bundeswehr stellt Freiwillige ein." Werbeplakat 1956.

Sache der Deutschen selbst sei und eine Beseitigung der „sozialen Errungenschaften" der DDR nicht in Frage komme.

8.-14.9. Bundeskanzler Adenauer reist mit einer Regierungsdelegation nach Moskau. Am 12.9. unterzeichnen der sowjetische Ministerpräsident Nikolai A. Bulganin (1895-1975) und Adenauer eine Vereinbarung über die Aufnahme diplomatischer Beziehungen und über die Rückführung der letzten deutschen Kriegsgefangenen.

20.9. Nach Regierungsverhandlungen zwischen Ministerpräsident Otto Grotewohl und der sowjetischen Regierung

in Moskau wird die „volle Souveränität" der DDR bestätigt, das Amt des sowjetischen Hohen Kommissars aufgehoben und ein Beistandspakt abgeschlossen.

22.9. Bundeskanzler Adenauer verkündet vor dem Bundestag die sogenannte Hallstein-Doktrin, nach der die Bundesregierung keine diplomatischen Beziehungen mit Staaten unterhalten könne, die die DDR anerkennen (mit Ausnahme der Sowjetunion).

1.11. Das „Gesetz über Staatswappen und die Staatsflagge der DDR" vom 26. September tritt in Kraft. Danach hat die offizielle Fahne die Farben Schwarz-Rot-Gold; das Wappen besteht aus Hammer und Zirkel, von einem Ährenkranz umgeben.

12.11. Die ersten 101 Freiwilligen der Bundeswehr erhalten von Verteidigungsminister Theodor Blank ihre Ernennungsurkunde. Damit ist die Gründung der Bundeswehr vollzogen.

1956

18.1. Die Volkskammer beschließt die Schaffung der Nationalen Volksarmee (NVA) und des „Ministeriums für Nationale Verteidigung". Willi Stoph wird erster Verteidigungsminister der DDR.

25.2. Auf dem XX. Parteitag der KPdSU enthüllt Parteichef Nikita S. Chruschtschow die vom ehemaligen Staats- und Parteichef Josef W. Stalin begangenen Verbrechen. Damit beginnen die ersten Ansätze der Entstalinisierung.

1.5. Vor dem Rathaus Schöneberg in West-Berlin demonstrieren 100.000 Menschen für die Wiedervereinigung Deutschlands.

7.7. Der Bundestag verabschiedet das Wehrpflichtgesetz. Damit wird die künftige Bundeswehr eine Wehrpflichtarmee. Im September wird die Dauer des Wehrdienstes auf 12 Monate festgelegt. Außerdem wird ein ziviler Ersatzdienst für Kriegsdienstverweigerer eingerichtet.

1957

25.3. Vertreter der Benelux-Staaten, Frankreichs, Italiens und der Bundesrepublik Deutschland unterzeichnen die sogenannten Römischen Verträge über die Schaffung der Europäischen Wirtschaftsgemeinschaft (EWG) und der Europäischen Atomgemeinschaft (EURATOM).

3.10. Willy Brandt wird zum Regierenden Bürgermeister von West-Berlin gewählt.

1958

1.1. Die „Römischen Verträge" über die Europäische Wirtschaftsgemeinschaft (EWG) und die Europäische Atomgemeinschaft (EURATOM) treten in Kraft.

27.1. Die Pionierorganisation Ernst Thälmann wird sozialistische Massenorganisation für Kinder in der DDR.

10./11.2. Die Volkskammer beschließt die Umstrukturierung des Staatsapparats: Der Wirtschaftsrat wird durch die „Staatliche Plankommission" ersetzt, die Vereinigungen Volkseigener Betriebe (VVB) werden neu organisiert und der „Staatlichen Plankommission" unterstellt. Die Industrieministerien werden aufgelöst.

29.5. Abschaffung der Lebensmittelkarten in der DDR.

2.7. Der Bundestag fordert die Bildung eines Viermächte-Gremiums für die Lösung der Deutschen Frage.

Leicht bewaffnete Betriebskampftruppen defilieren an der DDR-Staatsführung vorbei (1958). Die paramilitärischen Verbände der DDR für die Abwehr des „Klassenfeindes" machten zuletzt eine Stärke von 500.000 Mann aus.

„13. August 1961. Sicherung der Staatsgrenze. FDJler des Berliner Stadtbezirks Mitte besuchten am 15. August 1961 Soldaten einer Panzereinheit, die in der Mittelstraße auf Friedenswacht stehen. Sie überreichten ihnen Blumen und kleine Geschenke."
(Originalunterschrift)

31.12. Die USA, Großbritannien und Frankreich protestieren in gleichlautenden Noten an die Sowjetunion gegen das Berlin-Ultimatum Chruschtschows vom 27. November. Das Statut der Stadt soll nur im Zusammenhang mit der Deutschlandfrage erörtert werden.

1959

19.3. In einer Presseerklärung erkennt der sowjetische Partei- und Regierungschef Nikita S. Chruschtschow die Berlin-Rechte der früheren westalliierten Besatzungsmächte an und nimmt das Berlin-Ultimatum von 1958 zurück.

15.4. In Dresden werden fünf Studenten, die gegen die politischen Verhältnisse in der DDR protestiert haben, zu Zuchthausstrafen bis zu zehn Jahren verurteilt.

26./27.8. Als erster US-Präsident besucht Dwight D. Eisenhower die Bundesrepublik. Dabei bekräftigt er die Garantie der westlichen Verbündeten zum Schutz West-Berlins.

1.10. Der bisher bestehende Fünfjahrplan der DDR wird abgebrochen und durch einen Siebenjahrplan (1959-1965) ersetzt. Die Volkskammer verabschiedet außerdem das Gesetz über die neue Staatsflagge mit Hammer, Zirkel und Ährenkranz nunmehr inmitten der Farben Schwarz-Rot-Gold.

2.12. Die Volkskammer beschließt ein Gesetz über die „sozialistische Entwicklung des Schulwesens". Darin wird die Einführung der 10jährigen Schulpflicht und des Polytechnikums festgelegt.

1960

23.1. Walter Ulbricht schlägt Bundeskanzler Adenauer in einem Brief eine

„Sicherung der Staatsgrenze der DDR zu Westberlin und zur BRD am 13. August 1961. Angehörige der Kampfgruppen vor dem Brandenburger Tor in Berlin."
(Originalunterschrift)

Flucht in der Bernauer Straße in Berlin-Wedding. Verzweifelte Menschen durchbrechen immer wieder unter äußerster Lebensgefahr die Mauer.

Conrad Schuhmanns spektakuläre Flucht über die Sektorengrenze am 15. August 1961.

Volksabstimmung über Abrüstung, Friedensvertrag und Konföderation vor und fordert eine „Freie Stadt Berlin". Der Brief bleibt unbeantwortet.

10.2. Die Volkskammer beschließt das Gesetz über die Bildung des „Nationalen Verteidigungsrates" (NVR), Vorsitzender wird der Erste Sekretär der SED Walter Ulbricht. Der NVR verabschiedet grundsätzliche Beschlüsse zur Landesverteidigung.

14.4. Die Kollektivierung der Landwirtschaft in der DDR wird abgeschlossen und als „endgültiger Sieg der sozialistischen Produktionsverhältnisse auf dem Lande" bewertet.

12.9. Nach dem Tod von Wilhelm Pieck am 7.9. wird das Amt des Staatspräsidenten abgeschafft und durch ein kollektives Staatsoberhaupt, den „Staatsrat der DDR" ersetzt. Erster „Staatsratsvorsitzender" wird Walter Ulbricht.

1961

13.8. Bewaffnete Volkspolizisten der DDR riegeln Ost-Berlin gegen West-Berlin ab. Der Mauerbau beginnt.

14.8. Das Brandenburger Tor, zunächst Grenzübergang, wird seitens der DDR zum Westen hin geschlossen. Die Telefonverbindungen zwischen der Bundesrepublik und der DDR werden vorübergehend unterbrochen. Auch West-Berlin ist von dieser Sperre betroffen.

16.8. Für alle Bewohner der DDR und Ost-Berlins wird die Grenze zur Bundesrepublik Deutschland gesperrt.

19.-21.8. Besuch des US-Vizepräsidenten Lyndon B. Johnson in Bonn und Berlin. Johnson bekräftigt in einer Rede vor dem Schöneberger Rathaus die US-amerikanischen Sicherheitsgarantien.

27.10. Am Berliner Sektorengrenzübergang „Checkpoint Charlie" stehen sich erstmals amerikanische und sowjetische Panzer gegenüber.

30.11. In einem Brief schlägt der DDR-Ministerpräsident Otto Grotewohl Bundeskanzler Adenauer vor, Schritte zur Normalisierung der Beziehungen zwischen der DDR und der Bundesrepublik einzuleiten.

3.12. Das Bundeskanzleramt verweigert die Annahme des Briefes der DDR-Regierung vom 30.11. mit Vorschlägen über Gespräche zwischen „beiden deutschen Staaten".

30.12. In einem Interview äußert sich Ulbricht zur Massenflucht aus der DDR und bemängelt, dass der DDR durch sie ein Schaden von rund 30 Milliarden Mark entstanden sei.

1962

15.-18.1. Abzug der in der West-Berliner Friedrichstraße stationierten US-amerikanischen Panzer und der in Ost-Berlin Unter den Linden stationierten sowjetischen Panzer.

24.1. Die Volkskammer beschließt das „Gesetz über die allgemeine Wehrpflicht" in der DDR und in Ost- Berlin.

17.8. Bei einem Fluchtversuch über die Berliner Mauer wird der 18jährige Ost-Berliner Bauarbeiter Peter Fechter von DDR-Volkspolizisten angeschossen. Fechter verblutet im Niemandsland zwischen Stacheldraht und Panzersperren, ohne dass ihm DDR-Soldaten oder amerikanisches Militär zu Hilfe kommen. In den folgenden Tagen kommt es in West-Berlin zu Demonstrationen, die teilweise nur mit Polizeigewalt von einem Vordringen auf die Mauer abgehalten werden können.

1963

21.6. Der DDR-Ministerrat erlässt eine „Verordnung über Maßnahmen zum Schutz der Staatsgrenze zwischen der DDR und West-Berlin". Darin wird die Errichtung eines Kontroll- und Schutzstreifens entlang der Berliner Mauer bestimmt.

23.-26.6. Staatsbesuch des amerikanischen Präsidenten John F. Kennedy in der Bundesrepublik und in West-Berlin. Besonders bei seinem Besuch in der geteilten Stadt wird Kennedy als Symbolfigur der alliierten Garantie für die Freiheit West-Berlins begeistert gefeiert. Seine Rede vor dem Schöneberger Rathaus, in der Kennedy betont, dass alle freien Menschen, wo immer sie leben mögen, Bürger Berlins seien, beendet er auf deutsch mit den Worten: „Ich bin ein Berliner".

Der Tod des Flüchtlings Peter Fechter am 17. August 1962.

17.12. Unterzeichnung des 1. Passierscheinabkommens zwischen der DDR und dem Senat und West-Berlin, das den Besuch von West-Berlinern in Ost-Berlin über die Weihnachtstage und Sylvester regelt. Damit öffnen sich erstmals seit dem Mauerbau wieder die Sektorenübergänge.

1964

2.1. In der DDR werden neue Personalausweise mit dem zusätzlichen Vermerk „Bürger der Deutschen Demokratischen Republik" ausgegeben.

12./13.3. Die SED-Parteileitung der Humboldt-Universität schließt Professor Robert Havemann wegen kritischer Äußerungen aus dem Lehrkörper der Universität und aus der Partei aus.

1.8. In der DDR werden neue Banknoten mit der Bezeichnung „Mark der deutschen Notenbank" ausgegeben.

9.9. Der Ministerrat der DDR beschließt die Möglichkeit einer jährlichen Besuchsreise von Bürgern der DDR im Rentenalter in die Bundesrepublik und nach West-Berlin.

2.11. Zum ersten Mal seit dem Mauerbau öffnet sich die innerdeutsche Grenze für Bürger der DDR. Laut dem Gesetz vom 9. September des Jahres dürfen Rentner mit einer Besuchserlaubnis ausreisen.

Kennedy vor der Berliner Mauer am 26. Juni1963: „Die Mauer ist die abscheulichste und stärkste Demonstration des Versagens des kommunistischen Systems".

1965

6.5. Die Volkskammer, der Staatsrat, der Ministerrat und der „Nationalrat der Nationalen Front" der DDR proklamieren, dass ein wiedervereinigtes Deutschland nur sozialistisch sein könne.
8.10. Das Internationale Olympische Komitee (IOC) beschließt die Zulassung von zwei deutschen Mannschaften zu den Olympischen Spielen von 1968 und erkennt das Nationale Olympische Komitee (NOK) der DDR an.
30.10. Der Hauptausschuss des Deutschen Sportbundes beschließt die Wiederaufnahme des Sportverkehrs zwi-

schen der Bundesrepublik und der DDR, der 1961 kurz nach dem Mauerbau abgebrochen worden war.

1966

28.2. Der Staatsrat der DDR beantragt die Aufnahme der DDR in die United Nations Organization (UNO).
1.12. Kurt Georg Kiesinger wird zum Bundeskanzler einer Regierung der Großen Koalition aus CDU/CSU und SPD gewählt. Vizekanzler und Außenminister wird Willy Brandt.
14.12. Der neue Bundesminister für gesamtdeutsche Fragen, Herbert Weh-

ner, erklärt, dass eine diplomatische Anerkennung der DDR erst nach deren demokratischer Legitimation möglich sei.

1967

20.2. Die Volkskammer der DDR verabschiedet das Gesetz über die Staatsangehörigkeit der Deutschen Demokratischen Republik und proklamiert damit eine eigene DDR-Staatsnation. Damit reagiert die DDR unter anderem auf den Alleinvertretungsanspruch der Bundesrepublik und grenzt sich konsequent von dieser ab.

1968

6.4. In einem Volksentscheid für eine neue DDR-Verfassung stimmen rund 94 % der Wahlberechtigten mit „Ja". Die Verfassung, in der die DDR als „sozialistischer Staat deutscher Nation" charakterisiert wird, tritt am 9.4. in Kraft.
28.10. Willy Brandt erklärt die Bereitschaft, von der Existenz der DDR als eines zweiten deutschen Staates auszugehen und der Regierung der DDR auf gleichberechtigter Basis zu begegnen.

1969

22.7. Die Bundesregierung beschließt, künftig das Hissen der DDR-Nationalflagge und das Abspielen der DDR-Staatshymne bei Sportveranstaltungen nicht zu behindern. Diese Entscheidung ändere aber nichts an der Politik der Nichtanerkennung der DDR.

1970

22.1. Bundeskanzler Willy Brandt schlägt der DDR-Regierung Verhandlungen über den Austausch von Gewaltverzichtserklärungen vor.
1.2. Abschluss des deutsch-sowjetischen Vertrages über die Lieferung von Erdgas gegen Großröhren in Essen. Es handelt sich um das bisher größte Ost-West-Geschäft.
19.3. Bundeskanzler Brandt und der Vorsitzende des Ministerrates der DDR Willi Stoph treffen sich in Erfurt zum ersten in-

nerdeutschen Gipfelgespräch. Obgleich keine nennenswerten Ergebnisse erzielt werden können, macht die stürmische Begrüßung des Bundeskanzlers seitens der DDR-Bürger das Treffen zu einem politisch bedeutsamen Ereignis.

5.-11.4. Während des Staatsbesuches von Bundeskanzler Brandt in den USA sichert Präsident Nixon der Neuen Ostpolitik seine Unterstützung zu.

29.4. Zwischen den beiden deutschen Staaten wird in den Postverhandlungen eine Einigung über den Kostenausgleich und neue Fernsprech- und Fernschreibleitungen gefunden.

12.-22.5. Egon Bahr führt in Moskau abschließende Gespräche über ein Gewaltverzichtsabkommen zwischen beiden Ländern, die Ergebnisse seiner Bemühungen sind im sogenannten Bahr-Papier festgehalten.

21.5. Bundeskanzler Brandt und der Vorsitzende des DDR-Ministerrates Willi Stoph treffen in Kassel zu weiteren innerdeutschen Gesprächen zusammen.

3.7. Bei einem Treffen mit Bundeskanzler Brandt sichert der französische Staatspräsident Georges Pompidou die Unterstützung der Neuen Ostpolitik zu.

11.-13.8. Bundeskanzler Brandt besucht die Sowjetunion und unterzeichnet am 12. August in Moskau den deutsch-sowjetischen Vertrag über Gewaltverzicht und Anerkennung der in Europa bestehenden Grenzen, den sogenannten Moskauer-Vertrag.

26.8. Das CDU-Präsidium bekräftigt die Bedenken der Partei gegen den Moskauer Vertrag und die Ostpolitik der Bundesregierung.

7.12. Bundeskanzler Brandt und der polnische Ministerpräsident Jozef Cyrankiewicz sowie die beiderseitigen Außenminister unterzeichnen den Warschauer-Vertrag. Der Vertrag bildet die Grundlage der Normalisierung der Beziehungen zwischen der Bundesrepublik und Polen bei gleichzeitiger Anerkennung der Oder-Neiße-Linie. Vor der Unterzeichnung des Vertrages legt Brandt am Denkmal des Unbekannten Soldaten sowie am Denkmal für die Opfer des Warschauer Ghettos einen Kranz nieder.

Die historische Begegnung zwischen Bundeskanzler Willy Brandt und dem DDR-Ministerratsvorsitzenden Willi Stoph in Erfurt am 19. März 1970.

Trotz freundlicher Minen kamen Bundeskanzler Willy Brandt und DDR-Ministerpräsident Willi Stoph bei ihrem Treffen in Kassel am 5. Mai 1970 in der Deutschlandfrage nicht voran. Immerhin wurde nach einer „Denkpause" eine neue Begegnung nicht ausgeschlossen.

1971

1.1. Bundeskanzler Willy Brandt wird von der Mailänder Zeitschrift „Storia Illustrata" und der Pariser Tageszeitung „L'aurore" zum „Mann des Jahres 1970" gewählt. Brandt wurde bereits zuvor vom US-Magazin „Time" mit diesem Titel ausgezeichnet. Die Zeitschriften begründen ihre Entscheidung damit, dass Brandt mit seiner Neuen Ostpolitik als Neuerer in der Weltpolitik hervorrage.

21.1. Der Bundesgrenzschutz berichtet, dass die DDR die deutsch-deutsche Grenze mit neuen Maßnahmen, wie der Verlegung von mehr als zwei Millionen Minen und über 80.000 km Stacheldraht, abgesichert habe.

31.3. Nach Abschluss der Verträge von Moskau und Warschau beginnen in Prag Gespräche über ein deutsch-tschechoslowakisches Abkommen. Es soll die Beziehungen der beiden Länder vor dem Hintergrund der Geschehnisse des Zweiten Weltkrieges regeln.

3.5. Walter Ulbricht tritt aus Altersgründen vom Amt des Ersten Sekretärs des Zentralkomitees (ZK) der SED zurück. Sein Nachfolger wird Erich Honecker.

24.6. Die Volkskammer wählt Erich Honecker als Nachfolger von Walter Ulbricht zum Vorsitzenden des Nationalen Verteidigungsrates.

3.9. Unterzeichnung des Viermächteabkommens über Berlin durch Vertreter der USA, Großbritanniens, Frankreichs und der UdSSR.

10.12. Bundeskanzler Willy Brandt wird in Oslo mit dem Friedensnobelpreis ausgezeichnet. Die Ostpolitik des Bundeskanzlers wird als Beitrag zur Überwindung der Konfrontation zwischen den Machtblöcken in Europa betrachtet. Brandt ist damit der erste Deutsche, der nach dem Zweiten Weltkrieg den Friedensnobelpreis erhält.

1972

6.1. In einer Rede vor Soldaten der Nationalen Volksarmee (NVA) bezeichnet DDR-Staats- und Parteichef Erich Hone-cker die Bundesrepublik als „imperialistisches Ausland".

9.3. Die Volkskammer der DDR beschließt die Fristenlösung beim Schwangerschaftsabbruch. Danach ist die Abtreibung innerhalb der ersten drei Monate erlaubt. Erstmals seit Bestehen der Volkskammer ist ein Volkskammerbeschluss nicht einstimmig; 14 Abgeordnete stimmen gegen den Beschluss und acht enthalten sich.

27.4. Im Bundestag scheitert das angestrebte Konstruktive Misstrauensvotum der CDU/CSU gegen Bundeskanzler Willy Brandt. Der Antrag verfehlt um zwei Stimmen die notwendige absolute Mehrheit.

Das Zentralkomitee (ZK) der SED, der Bundesvorstand des Freien Deutschen Gewerkschaftsbundes (FDGB) und der Ministerrat beschließen gemeinsame sozialpolitische Maßnahmen in der DDR. Dabei werden vor allem Verbesserungen für berufstätige Mütter, kinderreiche Familien und Rentner festgelegt.

26.5. Die Staatssekretäre Egon Bahr und Michael Kohl unterzeichnen in Ost-Berlin einen Verkehrsvertrag zwischen der Bundesrepublik und der DDR.

16.8. Die offiziellen Verhandlungen zu einem Vertrag über die Grundlagen der Beziehungen zwischen der Bundesrepublik und der DDR beginnen.

1.9. An der „Staatsgrenze West" der DDR werden Schutzstreifen und Sperrzonen festgelegt.

Die Anwendung der Schusswaffe durch die DDR-Grenztruppen ist gemäß den Bestimmungen des Ministeriums für Nationale Verteidigung zulässig.

6.10. Im Vorfeld des deutsch-deutschen Grundlagenvertrages beschließt der

Ordnungskräfte der DDR bemühen sich, die schaulustige Menge zurückzudrängen. Bei allen Sicherheitsvorkehrungen durchbrachen jedoch mehr als 2.000 Erfurter unmittelbar nach der Ankunft des Bonner Sonderzuges die Absperrungen, um dem Bundeskanzler zuzujubeln. Aber trotz dieser Begeisterung der DDR-Bürger, trotz der formalen Höflichkeit der beiden Regierungschefs – in der Sache offenbarte das Treffen in Erfurt die hoffnungslose politische Spaltung des deutschen Volkes.

Staatsrat der DDR eine „umfassende Amnestie für politische und kriminelle Straftäter" und die Entlassung zahlreicher Häftlinge in die Bundesrepublik Deutschland.

16.10. DDR-Bürgern, die vor dem 1. Januar 1972 die DDR verließen, wird die DDR-Staatsbürgerschaft aberkannt. Sie werden strafrechtlich nicht mehr verfolgt.

21.12. Der Bundesminister Egon Bahr und der Staatssekretär der DDR, Michael Kohl unterzeichnen den Grundlagenvertrag: Darin wird die Anerkennung der Vier-Mächte-Verantwortung, die Unverletzlichkeit der Grenzen, die Beschränkung der Hoheitsgewalt auf das jeweilige Staatsgebiet, der Austausch „ständiger Vertreter", die Beibehaltung des innerdeutschen Handels und der Antrag beider Staaten auf Aufnahme in die UNO festgeschrieben.

1973

5.1.- 9.2. Weitere 17 Staaten, darunter auch Frankreich und Großbritannien nehmen diplomatische Beziehungen zur DDR auf.

2.4. Journalisten aus der Bundesrepublik und West-Berlin erhalten erstmals von der DDR sogenannte Pressekarten, die sie als Korrespondenten in der DDR legitimieren.

11.5. Nach heftigen Debatten verabschiedet der Bundestag den Grundlagenvertrag mit der DDR und das Gesetz über den Beitritt der Bundesrepublik Deutschland zu den Vereinten Nationen.

18.9. Die Bundesrepublik Deutschland und die DDR werden in die Vereinten Nationen (UNO) aufgenommen.

1974

24.4. Der persönlich Referent von Bundeskanzler Brandt, Günter Guillaume, wird unter dem Verdacht der Spionage für die DDR festgenommen.

2.5. Die jeweiligen „Ständigen Vertretungen" beider deutscher Staaten nehmen in Bonn und Ost-Berlin die Arbeit auf.

6.5. Bundeskanzler Willy Brandt tritt im Verlauf der Agentenaffäre um den DDR-Spion Günter Guillaume überraschend zurück.

Machtwechsel in Ostberlin. Auf der 16. Tagung des ZK der SPD wird Erich Honecker (unten) anstelle des aus Altersgründen zurückgetreten Walter Ulbricht (oben) am 3. Mai 1971 zum Ersten Sekretär des ZK der SED gewählt. Ulbricht erhält das eigens für ihn geschaffene Amt des „Vorsitzenden der SED".

27.9. Die Volkskammer beschließt eine Änderung der DDR-Verfassung; danach wird der Begriff „deutsche Nation" aus dem Text getilgt.

1975

25.3. In Ost-Berlin unterzeichnen Österreich und die DDR einen Konsularvertrag, in dem Österreich als erstes westliches Land die Existenz einer eigenen DDR-Staatsbürgerschaft anerkennt.

1.8. Nach zweijährigen Verhandlungen in Genf und Helsinki wird die KSZE-Schlussakte (Konferenz über Sicherheit und Zusammenarbeit in Europa) unterzeichnet. Am Rande der KSZE finden Gespräche zwischen Bundeskanzler Helmut Schmidt und DDR-Staats- und Parteichef Erich Honecker statt.

1976

23.4. Auf dem Platz des ehemaligen Berliner Stadtschlosses in Ost-Berlin wird der „Palast der Republik" eingeweiht. Das Gebäude ist unter anderem als künftiger Sitz der Volkskammer vorgesehen.

16.11. Während einer Tournee des Liedermachers Wolf Biermann durch die Bundesrepublik beschließt das Politbüro der DDR dessen Ausbürgerung. Begründet wird die Entscheidung damit, dass sich sein Programm in der Bundesrepublik gegen die DDR und den Sozialismus richte.

1977

11.1. Die DDR-Volkspolizei beginnt die aktive Behinderung von DDR-Bürgern, die die Ständige Vertretung der Bundesrepublik aufsuchen wollen. Die DDR-Regierung will damit die Kontaktaufnahme ausreisewilliger DDR-Bürger mit der Bundesrepublik verhindern.

1978

10.1. Das Büro des Nachrichtenmagazins „Der Spiegel" in Ost-Berlin wird durch die DDR-Behörden geschlossen. Damit reagiert die SED-Führung auf die Veröffentlichung eines regimekritischen Manifests einer bislang unbekannten SED-Oppositionsgruppe durch den „Spiegel".

1979

28.6. Die DDR-Volkskammer beschließt das 3. Strafrechtsänderungsgesetz, das erhebliche Verschärfungen des politischen Strafrechts und Änderungen des Wahlgesetzes enthält. Unter anderem wird die bisherige Entsendung der Abgeordneten von Ost-Berlin durch die Stadtverordnetenversammlung durch deren direkte Wahl in die Volkskammer ersetzt.

Im Bonner Bundeskanzleramt wurde von den Staatsekretären Egon Bahr (links) und Michael Kohl am 17. Dezember 1971 das Transitabkommen unterzeichnet.

In Ost-Berlin wurde am 21. Dezember 1972 der Grundlagenvertrag von Michael Kohl (links) und Egon Bahr unterzeichnet, der am 21. Juni 1973 in Kraft trat.

16.9. Zwei Familien gelingt in einem selbstgebastelten Heißluftballon die Flucht aus der DDR in die Bundesrepublik. Die abenteuerliche Fahrt der beiden Familien sorgt weltweit für Schlagzeilen.

1980

9.10. Die DDR erhöht den sogenannten Zwangsumtausch für Besucher aus dem Westen auf 25 DM pro Tag.

1981

11.-13.12. Bundeskanzler Helmut Schmidt reist zum dritten innerdeutschen Gipfeltreffen in die DDR. Die Gespräche mit Staats- und Parteichef Erich Honecker finden am Werbellinsee und am Döllnsee statt.

1982

18.6. Zwischen der DDR und der Bundesrepublik Deutschland wird folgende Vereinbarung getroffen: Der zinslose Überziehungskredit (Swing) der DDR soll schrittweise von 850 Millionen auf 600 Millionen Verrechnungseinheiten bis 1985 reduziert werden.

1983

15.9. Erster Empfang eines Regierenden Bürgermeisters von West-Berlin, Richard von Weizsäcker, durch den Staats- und Parteichef der DDR, Erich Honecker, in Ost-Berlin.
25.10. Der Rockmusiker Udo Lindenberg gibt mit seinem Panikorchester ein Konzert in Ost-Berlin.

1984

30.11. Die DDR baut die letzten Selbstschussanlagen an der innerdeutschen Grenze ab.

1985

11.6. Auf der Glienicker Brücke in Berlin findet der größte Agentenaustausch seit 1945 statt. 25 Westagenten werden gegen vier Ostagenten ausgetauscht.

Streng bewacht durch die Sicherheits-kräfte der DDR, durch Stacheldraht und Minenfelder getrennt, zog sich die Mauer quer durch Berlin, der Todes-streifen quer durch die geteilte Nation.

1986

6.2. Das Ministerium für Staatssicherheit (MfS) der DDR wird für „vorbildliche Pflichterfüllung im Interesse des ganzen werktätigen Volkes" mit dem Karl-Marx-Orden und einem Ehrenbanner des Zentralkomitees (ZK) der SED aus-gezeichnet.

6.5. Nach 12jährigen Verhandlungen wird ein Kulturabkommen zwischen beiden deutschen Staaten in Ost-Berlin unterzeichnet.

1987

2.3. Im Ost-Berliner Friedrichstadtpalast gastiert der Schlagersänger Udo Jürgens aus der Bundesrepublik an drei Abenden hintereinander mit seinem Programm „Deinetwegen".

6.-9.6. In Ost-Berlin kommt es zu schweren Auseinandersetzungen zwi-schen Jugendlichen und der Volkspo-lizei. Die Sicherheitskräfte versuchen, etwa 3.000 Rockfans, die vom Bran-denburger Tor aus ein Rockkonzert vor dem Reichstagsgebäude in West-Berlin mithören wollen, den Zutritt zu verweh-ren. Trotz des großen Polizeiaufgebots fordern die Menschen in der Straße Unter den Linden den Abriss der Mauer und Freiheit, auch „Gorbatschow"-Rufe werden laut.

12.6. Der US-Präsident Ronald Reagan reist zur 750-Jahr-Feier nach West-Berlin. In seiner öffentlichen Rede vor dem Brandenburger Tor fordert er den sowjetischen Parteichef Gorbatschow auf, die Mauer niederzureißen und schlägt vor, Olympische Spiele in beiden Teilen der Stadt abzuhalten. Am Rande der Feierlichkeiten kommt es zu Stra-ßenschlachten zwischen Demonstranten und der Polizei.

17.7. Aus Anlass des 38. Jahrestages ihrer Gründung beschließt die DDR-Regierung die Abschaffung der Todesstrafe.

27.8. SED und SPD veröffentlichen ein gemeinsames Papier mit dem Titel „Der Streit der Ideologien und die gemeinsame Sicherheit". In dem Papier wird zum ersten Mal versucht, die ideologischen Gegensätze zwischen Sozialdemokraten und Kommunisten herauszuarbeiten und gleichzeitig ein Konzept für eine langfristige Zusammenarbeit zu entwerfen.

7.-11.9. Zum ersten Mal in der Geschichte der beiden deutschen Staaten besucht mit Erich Honecker ein Staats- und Parteichef der DDR die Bundesrepublik. Es werden Abkommen zum Umwelt- und Strahlenschutz sowie über die Zusammenarbeit in Wissenschaft und Technik vereinbart.

13.11. Das Bundesverfassungsgericht entscheidet, dass ein Ausländer, der in der DDR eingebürgert wird, automatisch die deutsche Staatsangehörigkeit im Sinne des Grundgesetzes erwirbt.

1988

17.1. Am Rande der traditionellen Demonstration zum Jahrestag der Ermordung von Rosa Luxemburg und Karl Liebknecht verhaftet der DDR-Staatssicherheitsdienst rund 120 Menschen. Davon werden 54 zur Ausreise in die Bundesrepublik genötigt.

3.3. Erstmals nach zehn Jahren kommt es zu einem Spitzentreffen von Vertretern der Regierung und der Evangelischen Kirche in der DDR.

15.8. Die DDR nimmt diplomatische Beziehungen mit der Europäischen Gemeinschaft (EG) auf.

1989

11.1. In Ost-Berlin verlassen 20 ausreisewillige Bürger der DDR die Ständige Vertretung Bonns in der DDR. Ihnen war zuvor Straffreiheit und die Überprüfung ihrer Ausreiseanträge zugesichert worden.

19.1. DDR-Staats- und Parteichef Erich Honecker versichert, die Mauer werde „in 50 und auch in 100 Jahren noch bestehen bleiben, wenn die dazu vorhandenen Gründe noch nicht beseitigt sind".

Bei seinem dreitägigen Besuch vom 11. bis 13. Dezember 1981 in der DDR machten Bundeskanzler Helmut Schmidt und Gastgeber Erich Honecker auch einem mehrstündigen winterlichen Waldspaziergang.

6.2. DDR-Grenzsoldaten erschießen den 20jährigen Schlosser Chris Gueffroy beim Versuch, von Ost- nach West-Berlin zu flüchten.

3.3. Die DDR-Volkskammer gewährt den ständig in der DDR lebenden Ausländern das aktive und passive kommunale Wahlrecht.

2.5. Ungarn beginnt mit dem Abbau der Grenzbefestigungen zu Österreich.

7.6. In Ost-Berlin löst der Staatssicherheitsdienst eine Demonstration gegen die Fälschung der Kommunalwahlergebnisse vom 7. Mai auf.

12.-15.6. Der sowjetische Staats- und Parteichef Gorbatschow wird bei seinem Staatsbesuch in Bonn von der Bevölkerung mit großem Jubel empfangen. Zum Abschluss seines Besuchs erklärt er: „Die Mauer kann wieder verschwinden, wenn

die Voraussetzungen entfallen, die sie hervorgebracht haben".

27.6. In einem symbolischen Akt zerschneiden der ungarische Außenminister Gyula Horn und sein österreichischer Kollege Alois Mock bei Sopron den Stacheldrahtzaun an der gemeinsamen Grenze. Beseitigt werden nur die Grenzsperren, die Grenzkontrollen bleiben. In der DDR löst dies dennoch einen verstärkten Urlauber- und Flüchtlingsstrom nach Ungarn aus.

6.7. Zwischen der Bundesregierung und der DDR-Regierung wird eine Umweltvereinbarung zur Säuberung der Elbe und zur Verringerung der Luftverschmutzung in der DDR geschlossen.

1.8. Die Zeitungen und Zeitschriften des Axel Springer-Verlages verzichten von nun an auf die Anführungszeichen bei

der Nennung der DDR. Auf Anweisung des im September 1985 verstorbenen Axel Springer sollte damit der provisorische Charakter des Staates verdeutlicht werden.

8.8. Die Ständige Vertretung der Bundesrepublik in Ost-Berlin wird wegen Überfüllung für den Besucherverkehr geschlossen. Über 130 DDR-Bürger halten sich in der Vertretung auf, um ihre Ausreise zu erzwingen.

13.8. Auch die Bonner Botschaft in Budapest muss wegen Überfüllung geschlossen werden. Von dort wollen rund 180 Bürger der DDR ausreisen.

19.8. In Sopron/Ungarn kommt es zur größten Massenflucht von Bürgern der DDR seit dem Mauerbau. Etwa 900 Menschen nutzen das von dem Präsidenten der Paneuropa-Union, Otto von Habsburg (geb. 1912), initiierte „Paneuropäische Picknick" zur Flucht über die „grüne" ungarisch-österreichische Grenze.

22.8. Die Botschaft der Bundesrepublik in Prag wird wegen Überfüllung geschlossen. Rund 140 Bürger der DDR wollen von dort aus in den Westen übersiedeln.

24.8. In Budapest erhalten 108 Bürger der DDR, die sich in der Botschaft der Bundesrepublik aufhalten, durch die ungarische Regierung als einmalige humanitäre Aktion die Ausreiseerlaubnis in den Westen.

4.9. In Leipzig findet die erste Montagsdemonstration im Anschluss an das traditionelle Friedensgebet in der Nikolaikirche statt. Es wird mehr Reisefreiheit und die Abschaffung des Ministeriums für Staatssicherheit (MfS) gefordert. Von nun an finden wöchentlich Montagsdemonstrationen statt.

10./11.9. Ungarn lässt ohne vorherige Absprache mit der DDR-Regierung alle dort anwesenden DDR-Ausreisewilligen in den Westen ausreisen. Bis Ende September kommen circa 30.000 Übersiedler auf diesem Weg in die Bundesrepublik. Diese Grenzöffnung trägt wesentlich zur „Wende" in der DDR bei.

19.9. Mit dem Neuen Forum (NF) beantragt erstmals in der DDR eine Oppositionsgruppe offiziell ihre Zulassung als Vereinigung. Am 20.9. wird der Antrag vorerst abgelehnt, da die Gruppe „staatsfeindlich" sei.

Am 7. September 1987 wurde Erich Honecker von Bundeskanzler Helmut Kohl in Bonn wie der oberste Repräsentant eines souveränen Staates empfangen. Beide schreiten eine Ehrenformation der Marine ab.

Auch die west-deutsche Botschaft in Warschau muss wegen Überfüllung mit ausreisewilligen Bürgern der DDR den Publikumsverkehr vorübergehend einstellen.

26.9. Einige Bürger der DDR verlassen die deutsche Botschaft in Prag und kehren in die DDR zurück, weil ihnen die Ausreise in den Westen binnen sechs Monaten zugesichert wird. Viele Flüchtlinge bleiben jedoch in der Botschaft, da sie direkt in die Bundesrepublik ausreisen wollen.

30.9. Bundesaußenminister Hans-Dietrich Genscher verkündet am Abend auf dem Balkon der bundesdeutschen Botschaft in Prag, dass alle DDR-Flüchtlinge, die sich in den deutschen Botschaften in Prag und Warschau befinden, ausreisen dürfen.

7.10. Der 40. Jahrestag der DDR-Gründung wird mit Militärparaden und Aufmärschen gefeiert. In Ost-Berlin nimmt der sowjetische Staats- und Par-teichef Gorbatschow an den Festveranstaltungen teil. Er betont vor der Presse die Notwendigkeit von Reformen und äußert die berühmten Worte: „Wer zu spät kommt, den bestraft das Leben".

9.10. Erstmals demonstrieren in Leipzig über 70.000 Menschen für eine demokratische Erneuerung der DDR. Der Ruf „Wir sind das Volk – keine Gewalt" setzt sich durch.

18.10. Auf der 9. Tagung des Zentralkomitees (ZK) der SED wird Erich Honecker „auf eigenen Wunsch" von allen Ämtern entbunden.

24.10. Die Volkskammer wählt Egon Krenz zum Staatsratsvorsitzenden und zum Vorsitzenden des Nationalen Verteidigungsrates. Damit sind wiederum die höchsten Ämter der DDR in einer Person vereinigt.

9.11. Auf einer vom Fernsehen direkt übertragenen, internationalen Pressekonferenz verliest das SED-Politbüromitglied Günter Schabowski um 18.57 Uhr auf eine Anfrage zur neuen Ausreiseregelung beiläufig einen Beschluss des amtierenden Ministerrates, den ihm angeblich der SED-Generalsekretär Egon Krenz kurz vorher zustecken ließ: „Privatreisen nach dem Ausland können ohne Vorliegen von Voraussetzungen (Reiseanlässe und Verwandtschaftsverhältnisse) beantragt werden. Die Genehmigungen werden kurzfristig erteilt." Auf eine Nachfrage erklärt Schabowski, das trete nach seiner Kenntnis „sofort, unverzüglich" in Kraft. Geplant gewesen ist dies erst später und nur auf Antrag. Daraufhin drängen noch am selben Abend Tausende von Ost-Berlinern nach West-Berlin. Kurz vor Mitternacht öffnen sich die ersten Schlagbäume an der Mauer.

10.11. Nach Öffnung der innerdeutschen Grenzen besuchen Millionen von Bürgern der DDR die grenznahen Städte der Bundesrepublik und

Am 18. Oktober 1889 tritt Staats- und Parteichef Erich Honecker (rechts) „aus gesundheitlichen Gründen" von allen Ämtern zurück. Nachfolger wird sein bisheriger Stellvertreter Egon Krenz, der sechs Tage später auch zum Staatsratsvorsitzenden des Nationalen Verteidigungsrates gewählt wird.

West-Berlin. Es kommt zu überschwänglichen Freudenszenen; fremde Menschen umarmen sich, singen, tanzen und jubeln. Bundeskanzler Helmut Kohl bricht seinen Polen-Besuch ab, um am Abend vor dem Schöneberger Rathaus in West-Berlin auf einer Kundgebung zu sprechen. Der SPD-Ehrenvorsitzende Willy Brandt prägt dort den Satz „Jetzt wächst zusammen, was zusammengehört".

29.11. Der SED-Generalsekretär und DDR-Staatsratsvorsitzende Krenz sowie der DDR-Ministerpräsident Modrow schließen sich dem Aufruf „Für unser Land - zur Bewahrung der Eigenständigkeit der DDR" an.

7.12. Erstmals treffen sich in Ost-Berlin Vertreter der fünf ehemaligen Blockparteien und sieben Oppositionsgruppierungen am Runden Tisch. Es wird beschlossen, das Amt für Nationale Sicherheit aufzulösen, und vorgeschlagen, am 6. Mai 1990 die ersten freien Wahlen abzuhalten.

19./20.12. Bundeskanzler Kohl trifft zu Gesprächen mit Ministerpräsident Hans Modrow in Dresden zusammen. Beide Regierungschefs vereinbaren Verhandlungen über eine deutsch-deutsche Vertragsgemeinschaft. Kohl wird bei seiner Ansprache vor der Ruine der Frauenkirche von der Bevölkerung umjubelt.

22.12. In Berlin wird das Brandenburger Tor wieder geöffnet, vorerst allerdings nur für Fußgänger.

24.12. Erstmals können Bundesbürger und West-Berliner ohne Visum und Zwangsumtausch in die DDR reisen.

1990

3.1. Der Runde Tisch vereinbart die „Große Koalition der Vernunft" bis zu den Volkskammerwahlen am 18. März 1990.

9.1. Der frühere Staats- und Parteichef Egon Krenz legt sein Mandat als Abgeordneter der Volkskammer nieder und gibt damit sein letztes politisches Amt auf.

15.1. In Erfurt erscheint die erste unabhängige Tageszeitung der DDR, die „Thüringer Allgemeine". Damit endet das SED-Medienmonopol.

1.2. Ministerpräsident Hans Modrow unterbreitet sein Konzept mit dem Titel „Für Deutschland einig Vaterland". Der Stufenplan sieht folgende Schritte vor: Vertragsgemeinschaft, Konföderation und Übertragung von Souveränitätsrechten auf die Konföderation.

10.2. Bei einem Treffen zwischen Bundeskanzler Kohl und dem sowjetischen Staats- und Parteichef Michail Gorbatschow in Moskau wird die Zusiche-

rung gegeben, dass die UdSSR einer Wiedervereinigung Deutschlands nicht im Weg stehe.

13./14.2. In Bonn vereinbaren DDR-Ministerpräsident Modrow und Bundeskanzler Kohl die Einsetzung einer gemeinsamen Kommission zur Vorbereitung der angebotenen Währungsunion mit Wirtschaftsreform. Sie finden keine Einigung über eine Soforthilfe der Bundesregierung zur wirtschaftlichen Stabilisierung der DDR und über die Bündniszugehörigkeit eines geeinten Deutschlands.

24./25.2. Der 1. Parteitag der PDS in Ost-Berlin befürwortet die schrittweise Vereinigung der beiden deutschen Staaten unter der Voraussetzung, dass die Gleichberechtigung der DDR gewährleistet ist und ihr sozialer Standard erhalten bleibt. Auf der Abschlusskundgebung demonstrieren rund 50.000 PDS-Anhänger für die Souveränität der DDR.

12.3. In Leipzig findet die letzte Montagsdemonstration statt, an der 30.000 bis 50.000 Menschen teilnehmen.

18.3. Bei den ersten und einzigen freien Volkskammerwahlen erreicht die konservative „Allianz für Deutschland" aus CDU, DSU und DA mit 48,15% der Stimmen einen überwältigenden Sieg. Die SPD erhält 21,84%, die PDS 16,33% und die Liberalen 5,28% der Stimmen. Das Bündnis 90, in dem sich die Hauptinitiatoren der friedlichen Revolution zusammengeschlossen haben, erreicht nur 2,91 % der Stimmen. Die Wahlbeteiligung liegt bei 93,38%.

12.4. Die DDR-Volkskammer wählt Lothar de Maizière zum Ministerpräsidenten eines Kabinetts der Großen Koalition aus den Allianzparteien CDU, DSU, DA, der SPD und den Liberalen. Die Koalition ist sich über den zügigen Beitritt der DDR zur Bundesrepublik gemäß Artikel 23 des Grundgesetzes einig.

17.-21.4. Bei einer Volksabstimmung in Karl-Marx-Stadt sprechen sich mehr als 75% der wahlberechtigten Bevölkerung für die Rückbenennung ihrer Stadt in Chemnitz aus.

2.5. Die beiden deutschen Regierungen vereinbaren die Umtauschkurse für die Währungsunion. Danach werden die

Löhne, Gehälter, Mieten, Stipendien und Renten im Verhältnis 1:1 umgestellt. Sparguthaben und Bargeld werden gestaffelt umgetauscht: Kinder bis 14 Jahre können 2.000 Mark, 15- bis 59-jährige 4.000 Mark und über 60-jährige 6.000 Mark im Verhältnis 1:1 einwechseln. Darüber hinausgehende Beträge werden im Verhältnis 2:1 eingetauscht.

21.5. Der erste in der DDR gefertigte VW-Polo läuft im Automobilwerk Zwickau vom Band.

13.6. In Berlin wird mit dem endgültigen Abriss der 47 km langen Mauer begonnen. An vier Stellen bleiben Mauerreste als Mahnmal erhalten.

1.7. Inkrafttreten der Währungs-, Wirtschafts-, und Sozialunion. Damit überträgt die DDR die Hoheit über die Finanz- und Geldpolitik an die Bundesrepublik und die D-Mark wird zum einzigen Zahlungsmittel in der DDR.

14.-16.7. Bundeskanzler Kohl trifft in der Sowjetunion mit Präsident Gorbatschow zu Gesprächen zusammen. Gorbatschow billigt einem vereinten Deutschland die volle Souveränität und die freie Wahl der Bündniszugehörigkeit zu.

19.7. Der Deutsche Fußballbund (DFB) der Bundesrepublik und der Deutsche Fußballverband der DDR (DFV) beschließen in Frankfurt/Main ihre Vereinigung.

22.7. Die DDR-Volkskammer verabschiedet mit Wirkung vom 14.10.1990 das Ländereinführungsgesetz und das Gesetz zur Wahl der Landtage. Es wandelt die seit Juli 1952 zentralistische DDR in einen föderativen Staat mit fünf neuen Ländern um. Damit werden die Länder Mecklenburg-Vorpommern, Brandenburg, Sachsen-Anhalt, Sachsen und Thüringen wieder eingerichtet.

23.8. Die Volkskammer beschließt mit der erforderlichen Zweidrittelmehrheit „den Beitritt der DDR zum Geltungsbereich des Grundgesetzes der Bundesrepublik Deutschland gemäß Artikel 23 des Grundgesetzes mit Wirkung vom 3.10.1990".

12.9. Mit dem Abschluss der „Zwei-plus-Vier-Gespräche" durch Unterzeichnung des „Vertrags über die abschließende Regelung in Bezug auf Deutschland" von Seiten der Außenminister der vier ehemaligen Siegermächte der beiden deutschen Staaten in Moskau erhält das geeinte Deutschland die volle Souveränität und faktisch einen Friedensvertrag. Die alliierten Hoheitsrechte werden mit Wirkung vom 3. Oktober 1990 ausgesetzt.

30.9. Nach Beschluss der Vorsitzenden der 20 Einzelgewerkschaften vom 9. Mai 1990 löst sich der „Freie Deutsche Gewerkschaftsbund" (FDGB) als politisches Organ selbst auf.

3.10. Die DDR tritt dem Geltungsbereich des Grundgesetzes bei. Die Bundesrepublik verfügt von nun an über die volle Souveränität. Bundespräsident Richard von Weizsäcker ernennt auf Vorschlag des Bundeskanzlers fünf ehemalige DDR-Politiker zu Ministern ohne Geschäftsbereich.

2.12. Erste freie gesamtdeutsche Wahlen seit 1933: Die CDU/CSU erreicht 43,8 %, die SPD 33,5 % und die FDP 11 % der Stimmen. Die Grünen der Bundesrepublik (Wahlgebiet West) scheitern mit 4,8 % an der Fünfprozent-Hürde. Im Wahlgebiet Ost (ehemals DDR) erreichen Bündnis 90/Grüne 6 % und die PDS 11,1 %. Aufgrund der separaten Fünfprozentklausel im geänderten Bundeswahlgesetz sind sie damit im Bundestag vertreten.

20.12. Konstituierung des ersten frei gewählten gesamtdeutschen Parlaments seit 1933 im Berliner Reichstagsgebäude.

Letzte Wachablösung vor dem Ehrenmal für die Opfer des Faschismus „Unter den Linden" in Berlin. Gerhard Stoltenberg in seinem ersten Tagesbefehl als Chef der gesamtdeutschen Streitkräfte: „Die Teilung unseres Landes ist nach über 40 Jahren der Trennung überwunden. Nun gilt es auch, das Trennende im Denken und Empfinden zu überwinden." Zuvor war das geteilte Deutschland das Aufmarschgebiet des Kalten Krieges gewesen. In der DDR standen 140.000 Soldaten der NVA und 390.000 der Sowjet-Armee. In der Bundesrepublik waren 490.000 Angehörige der Bundeswehr, 225.000 Amerikaner, 68.000 Briten und 45.000 Franzosen stationiert. Nach der Wiedervereinigung haben sich die Russen vollständig aus der ehemaligen DDR zurückgezogen, Amerikaner, Briten und Franzosen ihre Streitkräfte in Westdeutschland sukzessive verringert.

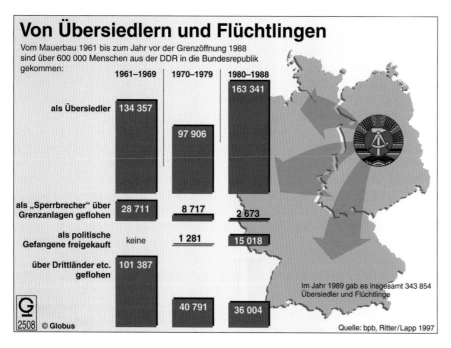

Von Übersiedlern und Flüchtlingen

Vom Mauerbau 1961 bis zum Jahr vor der Grenzöffnung 1988 sind über 600 000 Menschen aus der DDR in die Bundesrepublik gekommen:

	1961–1969	1970–1979	1980–1988
als Übersiedler	134 357	97 906	163 341
als „Sperrbrecher" über Grenzanlagen geflohen	28 711	8 717	2 673
als politische Gefangene freigekauft	keine	1 281	15 018
über Drittländer etc. geflohen	101 387	40 791	36 004

Im Jahr 1989 gab es insgesamt 343 854 Übersiedler und Flüchtlinge

2508 © Globus

Quelle: bpb, Ritter/Lapp 1997

Land	Landes-hauptstadt	Fläche (km²)	Ein-wohner (× 1.000)	Bevöl-kerungs-dichte (EW/km²)
Baden-Württemberg	Stuttgart	35.752	10.749	301
Bayern	München	70.552	12.520	177
Berlin	–	892	3.416	3.834
Brandenburg	Potsdam	29.479	2.535	86
Bremen	Bremen	404	663	1.640
Hamburg	–	755	1.770	2.344
Hessen	Wiesbaden	21.115	6.072	288
Mecklenburg-Vorpommern	Schwerin	23.180	1.679	72
Niedersachsen	Hannover	47.624	7.971	167
Nordrhein-Westfalen	Düsseldorf	34.085	17.996	528
Rheinland-Pfalz	Mainz	19.853	4.045	204
Saarland	Saarbrücken	2.569	1.036	404
Sachsen	Dresden	18.416	4.220	229
Sachsen-Anhalt	Magdeburg	20.446	2.412	118
Schleswig-Holstein	Kiel	15.799	2.837	180
Thüringen	Erfurt	16.172	2.289	142
gesamt (16)		357.093	82.217	230

Bis zum Herbst 1989 war die innerdeutsche Grenze dicht gewesen. Die Sperranlagen wurden von der DDR massiv gesichert und von Soldaten streng bewacht. In Berlin war der sogenannte „Todesstreifen" an den Betonsegmenten der Mauer 100 Meter breit, an der deutsch-deutschen Grenze war er durch Grenzpfähle und einen Metallgitterzaun auf DDR-Gebiet markiert. Neben Mauer und Zäunen sollten auch Fahrzeug-Sperrgräben, Tretminen und Selbstschussanlagen eine „Republikflucht" verhindern. Dennoch versuchten immer wieder DDR-Bürger die Flucht in den Westen. Am höchsten war die Anzahl der Flüchtenden direkt nach dem Mauerbau 1961 (über 43.000 Fluchtversuche) und 1962 (fast 11.000). Im Jahr vor der Maueröffnung, 1988, suchten über 9.000 „Sperrbrecher" den Weg über die Grenze. Viele Menschen starben bei Fluchtversuchen: Das Potsdamer Zentrum für Zeithistorische Forschung gibt für den Zeitraum 1961 bis 1989 die Anzahl von 270 bis 780 Toten an. Die meisten DDR-Bürger kam allerdings als Übersiedler in den Westen. Allein zwischen 1961 und 1969 waren es über 134.000. In den siebziger Jahren ließ ihre Anzahl stark nach und fiel unter 100.000, in den achtziger Jahren stieg sie aber wieder deutlich auf 163.000 an. Eine große Menge Menschen floh außerdem über Drittländer, und eine kleine wurde von der Bundesrepublik Deutschland freigekauft. Die Aufarbeitung der Ereignisse an der innerdeutschen Grenze sowie in der DDR selbst ist nach wie vor im Gange: Am 8. Mai 2009 bezeichnete Bundeskanzlerin Angela Merkel – gebürtige Westdeutsche, jedoch in der DDR aufgewachsen – die DDR als „Unrechtsstaat": „Die DDR war ein Unrechtsstaat, auf Unrecht gegründet, ohne legale Opposition, ohne freie Wahlen, ohne unabhängige Justiz, ohne Meinungsfreiheit." Der Schießbefehl an der innerdeutschen Grenze sei „pure Menschenverachtung" eines Regimes gewesen, das auf Verängstigung und Einschüchterung gesetzt habe. Es gab in der anschließenden Debatte aber auch Stimmen, die vor einer kompletten DDR-Verteufelung warnten: Sie führe leicht zu einer gefährlichen Verkennung der Tatsachen.

wird das Deutschland-Lied gesungen, ein riesiges Feuerwerk wird entfacht. Richard v. Weizsäcker, von 1984 bis 1994 Bundespräsident, hat die Bedeutung dieses Tages in einem Aufsatz festgehalten: „In freier Selbstbestimmung vollenden wir die Einheit und Freiheit Deutschlands. Wir wollen in einem ver-einten Europa dem Frieden der Welt dienen." Einige Stunden vor der Einigungsfeier hatte der letzte Ministerpräsident der DDR, Lothar de Maizière, am Platz der Akademie, der heute wieder Gendarmenmarkt heißt, sein Land verabschiedet: „Es gibt nur noch einen gemeinsamen deutschen Staat. Was für die meisten nur ein Traum war, wird Wirklichkeit: dass die selbstverständliche Zusammengehörigkeit wieder gelebt werden kann, in Anknüpfung an die seit Jahrhunderten gewachsenen geistigen und kulturellen Traditionen, in Fortsetzung der gemeinsamen familiären und emotionalen Bindungen."

© garant Verlag GmbH, Renningen, 2009

Text: Christoph Leischwitz
Lektorat: Dr. Nora Wiedenmann
Redaktion und Herstellung: Dr. Christian Zentner, München
Titelgestaltung: Paul Zentner, München

Satz und Layout: Petra Obermeier, München

ISBN 978-3-86766-353-3